崇文馆 家庭典藏

崇文国学经典普及文库

徐霞客游记

（明）徐霞客◎著
朱树人◎译

长江出版传媒
崇文书局

徐霞客游记

图书在版编目（CIP）数据

徐霞客游记 /（明）徐霞客著；朱树人译．
—武汉 ：崇文书局，2017.1
（崇文国学经典普及文库）
ISBN 978-7-5403-4267-8
Ⅰ．①徐…
Ⅱ．①徐… ②朱…
Ⅲ．①游记－中国－明代②历史地理－中国③《徐霞客游记》－注释④《徐霞客游记》－译文
Ⅳ．① K928.9
中国版本图书馆 CIP 数据核字（2016）第 261865 号

出 品 人　潘启胜

统　　筹　陈中琼
责任编辑　李利霞

出版发行　长江出版传媒｜崇文书局
地　　址　武汉市雄楚大街 268 号 C 座 11 层
电　　话　(027)87293001　邮政编码　430070

印　　刷　中印南方印刷有限公司
开　　本　889×1194　1/32
印　　张　5.5
字　　数　121 千字
版　　次　2017 年 1 月第 1 版
印　　次　2017 年 1 月第 1 次印刷
定　　价　19.80 元
（如发现印装质量问题，影响阅读，请与承印厂调换）

总序

现代意义的“国学”概念，是在19世纪西学东渐的背景下，为了保存和弘扬中国优秀传统文化而提出来的。1935年，王缁尘在世界书局出版了《国学讲话》一书，第3页有这样一段说明：“庚子义和团一役以后，西洋势力益膨胀于中国，士人之研究西学者日益众，翻译西书者亦日益多，而哲学、伦理、政治诸说，皆异于旧有之学术。于是概称此种书籍曰‘新学’，而称固有之学术曰‘旧学’矣。另一方面，不屑以旧学之名称我固有之学术，于是有发行杂志，名之曰《国粹学报》，以与西来之学术相抗。‘国粹’之名随之而起。继则有识之士，以为中国固有之学术，未必尽为精粹也，于是将‘保存国粹’之称，改为‘整理国故’，研究此项学术者称为‘国故学’……”从“旧学”到“国故学”，再到“国学”，名称的改变意味着褒贬的不同，反映出身处内忧外患之中的近代诸多有识之士对中国优秀传统文化失落的忧思和希望民族振兴的宏大志愿。

从学术的角度看，国学的文献载体是经、史、子、集。崇文书局的这一套国学经典普及文库，就是从传统的经、史、子、集中精选出来的。属于经部的，如《诗经》《论语》《孟子》《周易》《大学》《中庸》《左传》；属于史部的，如《战国策》《史记》《三国志》《贞观政要》《资治通鉴》；属于子部的，如《道德经》《庄子》《孙子兵法》《鬼谷子》《世说新语》《颜氏家训》《容斋随笔》《本草纲目》《阅微草堂笔记》；属于集部的，如《楚辞》《唐诗三百首》《豪放词》《婉约词》《宋词三百首》《千家诗》《元曲三百首》《随园诗话》。这套书内容丰富，而分量适中。一个希望对中国优秀传统文化有所了解的人，读了这些书，一般说来，犯常识性错误的可能性就很小了。

崇文书局之所以出版这套国学经典普及文库，不只是为了普及国学常识，更重要的目的是，希望有助于国民素质的提高。在国学教育中，有一种倾向需要警惕，即把中国优秀的传统文化"博物馆化"。"博物馆化"是20世纪中叶美国学者列文森在《儒教中国及其现代命运》中提出的一个术语。列文森认为，中国传统文化在很多方面已经被博物馆化了。虽然中国传统的经典依然有人阅读，但这已不属于他们了。"不属于他们"的意思是说，这些东西没有生命力，在社会上没有起到提升我们生活品格的作用。很多人阅读古代经典，就像参观埃及文物一样。考古发掘出来的珍贵文物，和我们的生命没有多大的关系，和我们的生活没有多大关系，这就叫作博物馆化。"博物馆化"的国学经典是没有现实生命力的。要让国学经典恢复生命力，有效的方法是使之成为生活的一部分。崇文书局之所以强调普及，深意在此，期待读者在阅读这些经典时，努力用经典来指导自己的内外生活，努力做一个有高尚的人格境界的人。

国学经典的普及，既是当下国民教育的需要，也是中华民族健康发展的需要。章太炎曾指出，了解本民族文化的过程就是一个接受爱国主义教育的过程："仆以为民族主义如稼穑然，要以史籍所载人物制度、地理风俗之类为之灌溉，则蔚然以兴矣。不然，徒知主义之可贵，而不知民族之可爱，吾恐其渐就萎黄也。"(《答铁铮》)优秀的传统文化中，那些与维护民族的生存、发展和社会进步密切相关的思想、感情，构成了一个民族的核心价值观。我们经常表彰"中国的脊梁"，一个毋庸置疑的事实是，近代以前，"中国的脊梁"都是在传统的国学经典的熏陶下成长起来的。所以，读崇文书局的这一套国学经典普及读本，虽然不必正襟危坐，也不必总是花大块的时间，更不必像备考那样一字一句锱铢必较，但保持一种敬重的心态是完全必要的。

期待读者诸君喜欢这套书，期待读者诸君与这套书成为形影相随的朋友。

陈文新

（教育部长江学者特聘教授，武汉大学杰出教授）

前言

《徐霞客游记》是明代徐霞客的一部旅行日记。它既是一部地理学巨著，又是一部文学性很强的游记。

徐霞客(1586—1641)名弘祖，字振之，霞客是他的号。明万历十四年(1586)生，直隶常州府江阴县(今江苏省江阴市)人。他自幼博览群书，淡泊功名，不入仕途，一直怀抱游遍祖国河山的志愿。他从22岁开始，直到56岁(1641)为止，35年的时间，在一不受当时政府的委派，二没有任何公私赞助的情况下，仅凭一根手杖，一套简单的行李，走遍了大半个中国，其足迹所至，有今江苏、安徽、浙江、山东、河北、河南、山西、陕西、福建、江西、湖北、湖南、广东、广西、贵州、云南等十六个省、自治区的无数山川。在徐

霞客所处的那个时代，交通条件很差，除了有时陆路可以骑马，有些水路可以乘船之外，其余一概依靠两只脚走路，而且所到之处大多人迹罕至、路途艰险。攀缘绝壁、淌涉流水、探险洞穴，都是家常便饭；路上还时遇狂风暴雨，经常忍饥挨冻；甚至从游的静闻和尚中途病逝、雇佣的顾姓仆人席卷行李跑掉，也曾遭遇盗贼。这一切都不曾动摇他的意志，三十多年百折不挠，终于完成了“行万里路”的宏愿。《徐霞客游记》就是这三十余年间旅行的翔实记录，是徐氏一生的心血结晶。

《徐霞客游记》为徐氏在旅途中逐日所记。大体说来，它是一部地理学巨著，在地理学发展史上有突出的地位。因为徐霞客以科学的地理旅行考察为目的，综合、全面、系统地描述地理环境及其特征。他笔下的山，峰峦起伏、隐跃毫端；他笔下的水，源流曲折、奔腾纸上；哪怕是荒山野岭、穷乡僻壤、山岩空谷，都写出了它们的奇踪胜迹，有如群星灿烂。他还利用长期野外考察积累的新认识，对照历来的图经志籍，对旧的地理学提出了大胆的质疑，认为“图经志籍，多为图经志籍所蒙”，“昔人志星官舆地，多承袭附会”，以他自己的实地考察作了纠正，如对《禹贡》所说“岷山导江”的说法作了修正，认为实际上长江的江源不在岷山，而在金沙江，等等。

虽然《徐霞客游记》主要是一部地理学巨著，但它在文学上的成就仍不可忽视。可以说，几百年间《游记》得以广为流传，与它的文学成就有很大的关系。徐霞客本无意于为文，但《游记》严谨的科学内容是通过优美、生动、活泼的散文形式表现出来的。《游记》对自然的描写，抓住了景观的不同风貌特色，避免了繁复重叠；不论是名山胜水，还是矮峰小丘，微流细水，在徐氏笔下都各具姿态，情趣横生。《游记》的语言精炼传神，写情写景，深入人心，令读者有赏心悦目之感。

此外，《游记》还对当时农业、手工业、交通运输情况，各地风土人情、奇闻

异事、名胜古迹，作了很生动的描述，是今天研究当时人们社会生活的重要资料；对佛教寺庙、僧人生活的记载，是研究当时佛教传播情况和僧人习俗的珍贵资料。近代许多研究者都广泛引用过《游记》中的有关记载。

《游记》全书约60万字，篇幅较大，除研究者外，一般读者难得有时间通读全书。这次我们从书中选取了若干篇内容较为集中的、也是今天比较热门的旅游景点的名山游记，介绍给广大读者，用意一是欣赏美文，二是卧游山川，三是旅行导游。也就是说，本书在家可读，怡情神游；旅途中也可以读，印证山河。我们真诚地希望读者们能充分地利用这本书。

目录

游天台山日记

【解题】

天台(tāi)山在今浙江省天台县北,属仙霞岭脉的东支,有赤城、桐柏、琼台、华顶诸峰。山中寺庙甚多,隋建的国清寺为佛教天台宗发源地。本篇为徐霞客第一次游天台山时所记,时间为明万历四十一年(癸丑)四月初一至初八(1613年5月20日至27日)。

篇中首先略叙沿途风光,然后依次重点记叙了华顶峰、断桥、珠帘瀑布的美景;对阔大的明岩石洞、高耸的洞外石壁也有重笔描绘;对寒岩、鸣玉涧和琼台等景点也分别倾注了不少笔墨。

【原文】

癸丑之三月晦 自宁海出西门。云散日朗,人意山光,俱有喜态。三十里至梁隍山。闻此於菟夹道,月伤数十人,遂止宿。

四月初一日 早雨。行十五里,路有岐,马首西向台山,天色渐霁。又十里,抵松门岭,山峻路滑,舍骑步行。自奉化来,虽越岭数重,皆循山麓;至此迂回临陟,俱在山脊。而雨后新霁,泉声山色,往复创变,翠丛中山鹃映发,令人攀历忘苦。又十五里,饭于筋竹庵。山顶随处种麦。从筋竹岭南行,则向国清大路。适有国清僧云峰同饭,言此抵石梁,山险路长,行李不便,不若以轻装往,而重担向国清相待。余然之，令担夫随云峰往国清，余与莲舟上人就石梁道。行五里，过筋竹岭。岭旁多短松，老干屈曲，根叶苍秀，俱吾阊门盆中物也。又三十余里，抵弥陀庵。上下高岭，深山荒寂，恐藏虎，故草木俱焚去。泉轰风动，路绝旅人。庵在万山坳中，路荒且长，适当其半，可饭可宿。

初二日 饭后，雨始止。遂越潦攀岭，溪石渐幽，二十里，暮抵天封寺。卧念晨上峰顶，以朗霁为缘，盖连日晚霁，并无晓晴。及五更梦中，闻明星满天，喜不成寐。

初三日 晨起，果日光烨烨，决策向顶。上数里，至华顶庵；又三里，将近顶，为太白堂，俱无可观。闻堂左下有黄经洞，乃从小径。二里，俯见一突石，颇觉秀蔚。至则一发僧结庵于前，恐风自洞来、以石甃塞其门，大为叹惋。复上至太白，循路登绝顶。荒草靡靡，山高风冽，草上结霜

高寸许，而四山回映，琪花玉树，玲珑弥望。岭角山花盛开，顶上反不吐色，盖为高寒所勒耳。

仍下华顶庵，过池边小桥，越三岭。溪回山合，木石森丽，一转一奇，殊慊所望。二十里，过上方广，至石梁，礼佛昙花亭，不暇细观飞瀑。下至下方广，仰视石梁飞瀑，忽在天际。闻断桥、珠帘尤胜，僧言饭后行犹及往返，遂由仙筏桥向山后。越一岭，沿涧八九里，水瀑从石门泻下，旋转三曲。上层为断桥，两石斜合，水碎迸石间，汇转入潭；中层两石对峙如门，水为门束，势甚怒；下层潭口颇阔，泻处如阈，水从坳中斜下。三级俱高数丈，各极神奇，但循级而下，宛转处为曲所遮，不能一望尽收。又里许，为珠帘水，水倾下处甚平阔，其势散缓，滔滔汩汩。余赤足跳草莽中，揉木缘崖，莲舟不能从。暝色四下，始返。停足仙筏桥，观石梁卧虹，飞瀑喷雪，几不欲卧。

初四日 天山一碧如黛。不暇晨餐，即循仙筏上昙花亭，石梁即在亭外。梁阔尺余，长三丈，架两山坳间。两飞瀑从亭左来，至桥乃合流下坠，雷轰河隤，百丈不止。余从梁上行，下瞰深潭，毛骨俱悚。梁尽，即为大石所隔，不能达前山，乃还。过昙花，入上方广寺。循寺前溪，复至隔山大石上，坐观石梁。为下寺僧促饭，乃去。饭后，十五里，抵万年寺，登藏经阁。阁两重，有南北经两藏。寺前后多古杉，悉三人围，鹤巢于上，传声嘹呖，亦山中一清响也。是日，余欲向桐柏宫，觅琼台、双阙，路多迷津，遂谋向国清。国清去万年四十里，中过龙王堂。每下一岭，余谓已在平地，及下数重，势犹未止，始悟华顶之高，去天非远！日暮，入国清，与云峰相见，如遇故知，与商探奇次第。云峰言："名胜无如两岩，虽远，可以骑行。先两岩而后步至桃源，抵桐柏，则翠壁、赤城，可一览收矣。"

初五日 有雨色，不顾，取寒、明两岩道，由寺向西门觅骑。骑至，雨亦至。五十里至步头，雨止，骑去。二里，入山，峰萦水映，木秀石奇，意甚乐之。一溪从东阳来，势甚急，大若曹娥。四顾无筏，负奴背而涉。深过于膝，移渡一涧，几一时。三里，至明岩。明岩为寒山、拾得隐身地，两山回曲，《志》所谓八寸关也。入关，则四围峭壁如城。最后，洞深数丈，广容数百人。洞外，左有两岩，皆在半壁；右有石笋突耸，上齐石壁，相去一线，青松紫蕊，翁苁于上，恰与左岩相对，可称奇绝。出八寸关，复上一岩，亦左向。来时仰望如一隙，及登其上，明敞容数百人。岩中一井。曰仙人井，浅而不可竭。岩外一特石，高数丈，上岐立如两人，僧指为寒山、拾得云。入寺。饭后云阴溃散，新月在天，人在回岩顶上，对之清光溢壁。

初六日 凌晨出寺，六七里至寒岩。石壁直上如劈，仰视空中，洞穴甚多。岩半有一洞，阔八十步，深百余步，平展明朗。循岩右行，从石隘仰登。岩坳有两石对耸，下分上连，为鹊桥，亦可与方广石梁争奇，但少飞瀑直下耳。还饭僧舍，觅筏渡一溪。循溪行山下，一带峭壁巉崖，草木盘垂其上，内多海棠紫荆，映荫溪色，香风来处，玉兰芳草，处处不绝。已至一山嘴，石壁直竖涧底，涧深流驶，旁无余地。壁上凿孔以行，孔中仅容半趾，逼身而过，神魄为动。自寒岩十五里至步头，从小路向桃源。桃源在护国寺旁，寺已废，土人茫无知者。随云峰莽行曲路中，日已堕，竟无宿处，乃复问至坪头潭。潭去步头仅二十里，今从小路，反迂回三十余里。宿。信桃源误人也。

初七日　自坪头潭行曲路中三十余里，渡溪入山。又四五里山口渐夹，有馆曰桃花坞。循深潭而行，潭水澄碧，飞泉自上来注，为鸣玉涧。涧随山转，人随涧行。两旁山皆石骨，攒峦夹翠，涉目成赏，大抵胜在寒、明两岩间。涧穷路绝，一瀑从山坳泻下，势甚纵横。出饭馆中，循坞东南行，越两岭，寻所谓“琼台”“双阙”，竟无知者。去数里，访知在山顶。与云峰循路攀援，始达其巅。下视峭削环转，一如桃源，而翠壁万丈过之。峰头中断，即为双阙；双阙所夹而环者，即为琼台。台三面绝壁，后转即连双阙。余在对阙，日暮不及复登，然胜已一日尽矣。遂下山，从赤城后还国清，凡三十里。

初八日　离国清，从山后五里登赤城。赤城山顶圆壁特起，望之如城，而石色微赤。岩穴为僧舍凌杂，尽掩天趣。所谓玉京洞、金钱池、洗肠井，俱无甚奇。

【今译】

癸丑年（明万历四十一年，1613 年）三月的最后一天。我自宁海出西门。这天云开日出，人的心情和山的颜色，都喜气洋洋的。行三十里抵梁隍山。听说这一带路边常窜出老虎，每个月要咬伤几十人，所以我只好找旅店住下。

四月初一日。清早下雨。行进十五里，来到岔路口，我骑马走上西边往台山的那条路，这时天逐渐转晴。又走了十里，到达松门岭，山势陡峭、道路滑溜，只好下马步行。自奉化以来，虽经过了多重山岭，但多数是顺着山脚走；到这里却是迂回曲折地登高，都是在山脊上行走。由于雨后刚刚转晴，山泉流动的声音和山色交替变化，青翠的树丛与杜鹃花互相辉映，令人忘记了攀登山路的辛劳。又行走十五里，在筋竹庵吃午饭。所在山顶到处都是麦苗。从筋竹岭往南，就是通往国清寺的大路。恰好和国清寺的云峰和尚一同吃午饭，他说由这里到石梁，山势险、路又远，带着行李不方便，不如轻装前往，行李则由挑夫集中挑到国清寺等候。我同意了，于是让挑夫随云峰和尚前往国清寺，我则同莲舟和尚走上往石梁的路。走五里，过筋竹岭。岭上矮松很多，屈曲虬枝，盘根枝叶苍老秀美，就像阊门家里的盆景。又走三十余里，到达弥陀庵。山岭高高低低，深山里荒凉寂寞，为防止树丛中藏卧老虎，草木都被焚烧殆尽。山泉鸣响，山风吹过，艰险的山路阻住了旅行者前进的脚步。弥陀庵建在群山的低洼处，小路长满杂草而且曲曲折

折，伸延到很远，庵正好在小路的中点，可供食宿。

初二日。饭后，雨渐渐停止。于是起身越积水攀山岭，山溪石路渐渐幽深。走二十里，于暮色中抵达天封寺。睡在床上想着次日早晨攀爬山岭，天气晴朗才好动身，这几天雨停得迟，并不是一早就天晴。五更时分自睡梦中醒来，获知明星满天，高兴得再也睡不着了。

初三日。早晨起床的时候，果然看到阳光像火苗子一般，于是决定向山顶走去。攀爬了好几里，到达华顶庵；再攀爬三里多，到了太白堂，已经快到达顶峰了，然而在前往这座山峰的道路两旁没有看到一点值得玩味观赏的景致。听人说太白堂的左下方有一个黄经洞，于是顺着小路向前走。走了二里之后，低头发现一块大石头凸出来，给人一种极秀美华丽的感觉。走近才发现，原来是一位带发修行的僧人在黄经洞口修造居所，他担心风从洞里面吹出来，于是用大石头封住洞口，我不禁为此大为叹惋。我只好再次返回太白堂，之后顺着山道攀上天台山的最高峰。顶峰上强劲的山风吹得那些荒草纷纷倒伏，又因为山峰太高，山风寒冷而且凛冽，草上的寒霜大约有一寸厚，我回头环顾四周的山峦，到处都是玉一样的冰花，还有被冰花包裹而显得洁白如玉的树木，远望去一片透明光亮。山脚下山花盛开，但是山顶上的花却没有开放，这大概是地势高、天气寒冷的缘故吧。

我顺着原路下山到达华顶庵，途中经过水池边的小桥，又翻过三座山岭。这里的溪流弯弯曲曲而且山峦重重叠叠的好像要合拢在一起，树木繁茂丛生、岩石光彩美丽，每转过一个地方都会发现一处奇丽的景致，使我观赏玩味的兴趣得到很大的满足。走了二十里，途经上方广寺，到达石梁，在昙花亭敬佛，没时间去观赏那石梁飞瀑的奇丽景色。往下走到下方广寺时，抬头仰望石梁飞瀑，忽然觉得它简直是从天上倾泻下来的。又听说断桥、珠帘水是闻名的胜景，僧人说用过饭后再去看还来得及往返。于是便从仙筏桥走向山后。翻过一座山岭，沿着溪涧行了八九里路，就可看见溪水形成的瀑布从石门直泻而下，回旋流经三个溪水湾：最上面的一层是断桥，由两块巨大的倾斜的石块结合在一起，溪水迸流于两石间，浪花飞溅，汇合之后流入潭中；中间的那层有两块巨石相对峙，像窄门一样，溪水因为被窄门约束，流势非常汹涌；最下面的一层潭口非常宽阔，然而溪水倾泻的地方像是受到门槛的阻隔一样，仅能由低洼的地方斜着奔涌而下。三级瀑布都高达数丈，各个景致奇丽非常，但是溪流沿着台级倾泻而下，弯转的地方被溪湾所遮掩，不能够一览而尽。又行了一里多路，就是珠帘水了，溪水倾泻之处很是平坦宽阔，水的流势也因此低缓散漫，汩汩的流水溢漫潭中。我赤着脚跳进草丛中，攀着树枝爬上山崖，莲舟和尚没有跟我一同爬上山崖。夜幕降临，我们返回。站在仙筏桥上，欣赏着彩虹似的天然石桥，以及水珠像雪花般喷飞的瀑布美景，这绝妙景致叫人无心入睡。

初四日。天台山青绿得像黛玉一般。我顾不上吃早饭，就顺着仙筏桥上到昙花亭，石梁就在亭外。梁宽一尺多，长三丈，架在两山的山坳里。两道瀑布从亭的左边飞流而下，到了桥下合流下泻，像雷电轰鸣，又似河堤崩决，长百丈以上。我在石梁上走着，低头看下面的深潭，顿觉毛骨悚然。石梁的尽头，被一块大石头隔住，不能通往前山，只好转身回来。过了昙花亭，进入上方广寺。我又沿着寺前的溪水，来到那块隔山的大石头上，坐在上面观看石梁，直到下方广寺的和尚催着吃饭，才回到寺中。吃罢饭，走了十五里，来到万年寺，登上藏经阁。藏经阁有两层，收藏着南经和北经。寺的前后有很多古杉，统统要三个人才合抱得住，有鹤在树上筑窝，叫声嘹亮而清远，也可算是深山里一种高雅的音乐。当天，我想到桐柏宫，寻找琼台、双阙，但不知路怎么走，于是决定去国清寺。国清寺距离万年寺四十里路，中间经过龙王堂。每下一道岭，我都以为该到平地了，谁知下了几道岭，前面还是山岭，这才领悟到华顶峰之高，简直离天不远了。傍晚，进入国清寺，和云峰和尚相见，就像见到老朋友一样，和他商量游山探奇的行程。云峰说："名胜再没有比得上两岩的了，虽然远一点，但可以骑马去。如果先到两岩然后步行至桃源，再到桐柏，那么翠壁、赤城的景色，就可以一览尽收了。"

初五日。虽然有下雨的迹象，但也顾不得了，选择了通往寒岩、明岩的道路，自国清寺到西门去寻找乘骑。找到马匹时，雨也下起来了。在雨中走完五十里，到达步头。雨停了，舍马步行。二里路后，进入山中，四面盘绕的山峰倒映在萦绕流动的溪水中，树木秀丽、岩石奇异，我的心情很愉快。一条溪流自东阳流来，水势湍急，很像曹娥江。环顾四处没发现有竹筏可以渡人，只好让仆人背着涉水过溪。溪水深没膝盖，渡过一条溪涧，大约花去了一个时辰，又走了三里路，到达明岩。明岩是寒山、拾得两位高僧隐居的地方，见两山迂回曲折，即《大明一统志》所记载的"八寸关"。进入八寸关，四周的石壁陡峭得像城墙一样。最后面有一个山洞，有好几丈深，可以容纳数百人。山洞外面，左边有两座石岩，都悬于半壁之间；右边有石笋高高耸立，石笋顶与石壁相齐，两者只有一线之隔，石笋顶上有青松和紫色的花蕊，蓊蓊郁郁、十分茂盛，石笋正好和左边的两座石岩对峙，真可谓奇绝的景致了。走出八寸关，又攀上一处石岩，也是朝左伸出。来的时候仰望它就像隔着一线缝隙，等攀登至石顶，才看清它非常宽阔，可以容纳数百人。石岩中间有一口井，叫作“仙人井”，水虽浅却从不枯竭。石岩外矗立着一块奇特的石头，高达数丈，上部分成两部分，就像两个站立的人，此地的和尚称之为寒山、拾得的化身。回到寺中。晚饭之后阴云散去，一弯新月悬在碧空之中，我站在回岩顶上，对着月夜，只见岩壁上洒满了明亮皎洁的月光。

初六日。凌晨自寺中出发，走了六七里路到达寒岩，石壁笔直向上，如刀劈一般，抬头仰望空中，发现有许多洞穴。岩壁的中部有一个洞穴，宽约八十步，深约一百余步，洞中平坦且明亮。沿着石岩朝右走，自岩石的狭窄小径朝上攀行。山岩的低洼处有两块岩石相对耸立，下面的部分是分开的，而上面的部分紧紧相连，这就是“鹊桥”，其景致可以和方广寺的石梁争奇，只是少了飞泻的瀑布而已。返回僧人的处所用完饭，我找到竹筏渡过一条溪流，顺着溪流行至山下，这一带峭壁陡崖，荒草曲结、树枝盘垂在上面，其中大多是海棠和紫荆藤，浓荫倒映溪中更添美景，香风吹来，是玉兰花和芬芳的香草，处处不绝。行到一山嘴处，岩壁笔直地插入涧底，涧水深而湍急，四旁没有道路可以行走。岩壁上凿有石孔可以通行，而石孔也仅仅可以容下半只脚，我紧贴着岩壁而行，真是惊心动魄啊！从寒岩走出十五里，到达步头，再从小路朝桃源洞行进。桃源洞在护国寺旁边，护国寺已是一片废墟，询问当地居民，都茫然不知。跟着云峰和尚在杂草丛生的曲折山路上行走，太阳已经落山，仍然找不到可以住宿的地方，于是再向人问路，终于到达坪头潭。自坪头潭到步头只有二十里路，如今从小路走，反而迂回了三十多里。住宿。真是桃源洞耽误了我们呀。

初七日。从坪头潭开始，我们在弯曲的山路中走了三十多里，渡过一条溪水进入五台山。又向前走了四五里，山口渐渐变得狭窄，有一处房舍唤作“桃花坞”。顺着深潭边缘向前走，潭水碧绿清澈，飞溅的山泉自上而下注入潭中，唤作“鸣玉涧”。涧水沿着山势流转，人则顺着涧水行走。涧水两边的山全是裸露的石头，簇拥着山峦，夹杂着翠绿的树木，目光所及都是值得欣赏的景观，优美的景致大致都在寒岩、明岩两岩之间。涧水的尽头无路可走，但是却发现一条瀑布从山坳中间倾泻而下，其水势和形态非常奔放。饭后我便从桃花坞出来，沿着山洼向东南方向走去，翻过两座山岭，去寻访传言中的“琼台”“双阙”，竟然没有人知道。又走了数里，才打听到在山顶。于是便和云峰和尚顺着山路向上攀登，到达山巅。俯身看那陡峭环转的山岩，和桃源洞十分相似，其岩壁的苍翠险峻却又胜过桃源洞。山峰的顶端中部被断隔开，为“双阙”；双阙的正中间夹着环形的石头台子，即“琼台”。琼台的三面全是绝壁，向后转去则和双阙相连结。我站立在双阙的上面，天色渐黑，来不及再攀上琼台，但是这里的优美景致已经被我赏尽。于是下山，从赤城后面返回国清寺，这段旅程总计有三十里。

初八日。我离开国清寺，从山后走了五里的路程，登上赤城。赤城的山顶上有圆形的岩壁高耸而起，非常特别，从远处望去就像是一堵城墙，但其颜色有些微微发红。岩洞全部成了僧舍，显得混杂凌乱，其天然的景趣被这人为的因素掩盖殆尽。人们所说的诸如“玉京洞”“金钱池”“洗肠井”，都没有什么特别、奇异的地方。

游雁宕山日记

【解题】

雁宕山，今作雁荡山，在今浙江省乐清县境内。山顶有洼地，积水长草，故称“荡”。据说每到深秋有归雁宿于此，“雁荡”就此得名。

雁荡山分为南、中、北三段，其中以北雁荡面积最大。徐霞客于明万历四十一年（癸丑）四月初九离开天台山，四月十一日开始登雁荡山，十五日下山（1613年5月30日至6月3日），历时五天。日记记叙了徐氏在北雁荡游程中的沿途所见，对被称为“雁荡三绝”的灵峰、灵岩和大龙湫作了详尽描绘，徐氏常在游记中融进自己对山水的主观感受，在本篇中这种特点尤为突出。

【原文】

自初九日别台山，初十日抵黄岩。日已西，出南门三十里，宿于八岙。

十一日　二十里，登盘山岭。望雁山诸峰，芙蓉插天，片片扑人眉宇。又二十里，饭大荆驿。南涉一溪，见西峰上缀圆石，奴辈指为两头陀，余疑即老僧岩，但不甚肖。五里，过章家楼，始见老僧真面目：袈衣秃顶，宛然兀立，高可百尺。侧又一小童伛偻于后，向为老僧所掩耳。自章楼二里，山半得石梁洞。洞门东向，门口一梁，自顶斜插于地，如飞虹下垂。由梁侧隙中层级而上，高敞空豁。坐顷之，下山。由右麓逾谢公岭，渡一涧，循涧西行，即灵峰道也。一转山腋，两壁峭立亘天，危峰乱叠，如削如攒，如骈笋，如挺芝，如笔之卓，如幞之欹。洞有口如卷幕者，潭有碧如澄靛者。双鸾、五老，接翼联肩。如此里许，抵灵峰寺。循寺侧登灵峰洞。峰中空，特立寺后，侧有隙可入。由隙历磴数十级，直至窝顶洞。则窅然平台圆敞，中有罗汉诸像。坐玩至暝色，返寺。

十二日 饭后，从灵峰右趾觅碧霄洞。返旧路，抵谢公岭下。南过响岩，五里，至净名寺路口。入觅水帘谷，乃两崖相夹，水从崖顶飘下也。出谷五里，至灵岩寺。绝壁四合，摩天劈地，曲折而入，如另辟一寰界。寺居其中，南向，背向屏霞嶂。嶂顶齐而色紫，高数百丈，阔亦称之。嶂之最南，左为展旗峰，右为天柱峰。嶂之右胁介于天柱者，先为龙鼻水。龙鼻之穴从石罅直上，似灵峰洞而

小。穴内石色俱黄紫，独罅口石纹一缕，青绀润泽，颇有鳞爪之状。自顶贯入洞底，垂下一端如鼻，鼻端孔可容指，水自内滴下注石盆。此嶂右第一奇也。

西南为独秀峰，小于天柱，而高锐不相下。独秀之下为卓笔峰，高半独秀，锐亦如之。两峰南坳，轰然下泻者，小龙湫也。隔龙湫与独秀相对者，玉女峰也。顶有春花，宛然插髻，自此过双鸾，即极于天柱。双鸾止两峰并起，峰际有“僧拜石”，袈裟伛偻，肖矣。由嶂之左胁，介于展旗者，先为安禅谷，谷即屏霞之下岩。东南为石屏风，形如屏霞，高阔各得其半，正插屏霞尽处。屏风顶有“蟾蜍石”，与嶂侧“玉龟”相向。屏风南去，展旗侧褶中，有径直上，磴级尽处，石阈限之。俯阈而窥，下临无地，上嵌崆峒。外有二圆穴，侧有一长穴，光自穴中射入，别有一境，是为天聪洞，则嶂左第一奇也。锐峰叠嶂，左右环向，奇巧百出，真天下奇观！而小龙湫下流，经天柱、展旗，桥跨其上，山门临之。桥外含珠岩在天柱之麓，顶珠峰在展旗之上。此又灵岩之外观也。

十三日 出山门，循麓而右，一路崖壁参差，流霞映彩。高而展者，为板嶂岩。岩下危立而尖夹者，为小剪刀峰。更前，重岩之上，一峰亭亭插天，为观音岩。岩侧则马鞍岭横亘于前。鸟道盘折，逾坳右转，溪流汤汤，涧底石平如砥。沿涧深入，约去灵岩十余里，过常云峰，则大剪刀峰介立涧旁。剪刀之北，重岩陡起，是名连云峰。从此环绕回合，岩穷矣。龙湫之瀑，轰然下捣潭中，岩势开张峭削，水无所着，腾空飘荡，顿令心目眩怖。潭上有堂，相传为诺讵那观泉之所。堂后层级直上，有亭翼然，面瀑踞坐久之，下饭庵中。雨廉纤不止，然余已神飞雁湖山顶。遂冒雨至常云峰，由峰半道松洞外，攀绝磴三里，趋白云庵。人空庵圮，一道人在草莽中，见客至，望望去。再入一里，有云静庵，乃投宿焉。道人清隐，卧床数十年，尚能与客谈笑。余见四山云雨凄凄，不能不为明晨忧也。

十四日　天忽晴朗，乃强清隐徒为导。清隐谓湖中草满，已成芜田，徒复有他行，但可送至峰顶。余意至顶，湖可坐得，于是人捉一杖，跻攀深草中，一步一喘，数里，始历高巅。四望白云，迷漫一色，平铺峰下。诸峰朵朵，仅露一顶，日光映之，如冰壶瑶界，不辨海陆。然海中玉环一抹，若可俯而拾也。北瞰山坳壁立，内石笋森森，参差不一。三面翠崖环绕，更胜灵岩。但谷幽境绝，惟闻水声潺潺，莫辨何地。望四面峰峦累累，下伏如丘垤，惟东峰昂然独上，最东之常云，犹堪比肩。

导者告退，指湖在西腋一峰，尚须越三尖。余从之，及越一尖，路已绝；再越一尖，而所登顶已

在天半。自念《志》云："宕在山顶，龙湫之水，即自宕来。"今山势渐下，而上湫之涧，却自东高峰发脉，去此已隔二谷。遂返辙而东，望东峰之高者趋之，莲舟疲不能从。由旧路下，余与二奴东越二岭，人迹绝矣。已而山愈高，脊愈狭，两边夹立，如行刀背。又石片棱棱怒起，每过一脊，即一峭峰，皆从刀剑隙中攀援而上。如是者三，但见境不容足，安能容湖？既而高峰尽处，一石如劈，向惧石锋撩人，至是且无锋置足矣！踌躇崖上，不敢复向故道。俯瞰南面石壁下有一级，遂脱奴足布四条，悬崖垂空，先下一奴，余次从之，意可得攀援之路。及下，仅容足，无余地。望岩下斗，深百丈，欲谋复上，而上岩亦嵌空三丈余，不能飞陟。持布上试，布为突石所勒，忽中断。复续悬之，竭力腾挽，得复登上岩。出险，还云静庵，日已渐西。主仆衣履俱敝，寻湖之兴衰矣。遂别而下，复至龙湫，则积雨之后，怒涛倾注，变幻极势，轰雷喷雪，大倍于昨。坐至暝始出，南行四里，宿能仁寺。

十五日　寺后觅方竹数握，细如枝；林中新条，大可径寸，柔不中杖，老柯斩伐殆尽矣！遂从岐度四十九盘，一路遵海而南，逾窑岙岭，往乐清。

【今译】

我初九日离开天台山，初十那天就到了黄岩。太阳已经偏西，从南门走出去三十里，宿于八岙的旅舍。

十一日。走了二十里，登上盘山岭，远望雁荡山的那些山峰，如同木芙蓉一般直插蓝天，又似片片花瓣似的扑入我的眼帘。再向前走了二十里，在大荆驿用饭。饭后朝南渡过一条小溪，便看到西边的山峰上点缀着一块圆形的石头，仆人们认为那岩石是两头陀，我怀疑它是老僧岩，但不是十分相似。又向前走了五里，经过章家楼，才看清老僧岩的本来面目：它穿着袈裟，有些秃顶，栩栩如生地站立着，高度大概有一百尺。在它的旁边有一尊岩石，像小孩子一般，弯着腰屈着背紧紧地跟在老僧的后面，只不过平时它被老僧遮挡了而已。从章家楼走出来二里，在半山腰找到了石梁洞，洞门朝东，门口有一座石桥，从洞的顶部斜插在地上，如同飞虹下垂。我从石桥旁边的窄缝处一层层地逐级向上，发现上面高大而且宽敞开阔。于是我在此地坐下来休息了一会儿，然后下山。从右边的山麓处翻过谢公岭，渡过一条溪涧，沿着溪涧向西走去，便是通往灵峰的路了。我刚刚转过山腋，便看到它两旁的岩石绝壁陡峭而险峻，直入云霄。这里的险峰重重叠叠，有的像被刀刻过一样笔直挺立，有的被群峰紧紧拥簇，有的像并排横列的竹笋,有的又好像挺拔的灵芝仙草,有的像直立的笔杆,有的像斜拉的头巾。山洞的洞口好像挽起的帷帐,水潭碧绿如同清澄的蓝靛一般。双鸾峰像羽翼相连的双飞鸾鸟,五老峰特别像五位并肩而行的老翁。如此景致延续一里多山路,到达灵峰寺。沿灵峰寺旁的山道登上灵峰洞。灵峰的中部是空的,高耸在灵峰寺后,十分奇特,其侧面有缝隙能够进入。自缝隙处走过数十级石磴,一直到达窝顶洞。深远处的平台方方圆圆而且宽敞,其中有罗汉等的塑像。我坐在平台上观赏美景,夜色降临才返回灵峰寺。

十二日。饭后,自灵峰的右侧山脚去寻访碧霄洞。回返原路而行,到达谢公岭下。自南边经过响岩,行五里,到达净名寺路口。走进路口寻觅水帘谷。所谓的水帘谷,也就是两座山崖相夹,流水自崖顶飘洒而下。走出水帘谷五里,便到了灵岩寺。此处四围皆是绝壁,摩天接地,由曲折的小径走进去,好像是另辟的一处广阔世界。灵岩寺位居其中,南向,背面就是屏霞嶂。屏霞嶂的顶部平坦整齐且岩石呈紫色,高达数百丈,宽度和高度十分相称。屏霞嶂的最南处,左面是展旗峰,右面是天柱峰。屏霞嶂的右胁与天柱峰中间的地方,最先看到龙鼻水。龙鼻水的出水洞穴,自岩石的缝隙一直朝上,好像灵峰洞似的,只是小一些。洞穴内的岩石都是黄紫色,只有缝隙口有石纹一缕,为青红色,且十分湿润,特别像龙鳞龙爪。自洞顶连贯至洞底,落下的一端特别像人的鼻子,鼻子尖端处的石孔可伸进手指头,水就是从石孔内滴下来流入石盆中。这就是屏霞嶂右侧的第一奇观了。

屏霞嶂的西南面是独秀峰,比天柱峰小,然而其高度和岩石的尖锐则与之不相上下。独秀峰的下面是卓笔峰,有独秀峰的一半高,但岩石同独秀峰一样锋锐。两峰南面的山坳间,轰然向下飞泻的,便是小龙湫瀑布了。隔着小龙湫瀑布,和独秀峰相对的,是玉女峰。玉女峰的顶部开满了艳丽的春花，好像是插在玉女发髻上的饰物。自这里经过双鸾峰，以天柱峰为尽头。双鸾峰上只有两座山峰并列高耸，峰际有“僧拜石”，身着袈裟，佝偻着身躯，很像老僧。自屏霞嶂的左胁处，介于展旗峰处的，先是安禅谷，谷就是屏霞嶂的下岩。东南便是石屏风，形状如同屏霞嶂，高度和广度都是屏霞嶂的一半，恰好插在屏霞嶂的尽头。石屏风顶部有“蟾蜍石”，和屏霞嶂侧面的“玉龟石”相对。自石屏风朝南去，展旗峰旁边的褶皱中，有小路一直通往峰顶，石级的尽头，有道石门坎阻隔着。俯下身子在石门坎处向下看，望不到地面，头顶上笼罩着高高的天空。展旗峰外面有两个圆形孔洞，侧面有一个长孔，亮光自孔中射入，另有一种境界，这便是“天聪洞”，为屏霞嶂左边的第一奇景。尖削的山峰和高山重重叠叠，左右回环而对，精致奇巧的景观屡现不绝，真可谓天下奇观！而小龙湫瀑布一直向下流，流经天柱峰、展旗峰，有一座石桥横卧溪流之上，灵岩寺的山门则对着石桥。自石桥的外面能够看到含珠岩在天柱峰麓，顶珠峰在展旗峰的上面，这便是灵岩寺的外观了。

十三日。出灵岩寺山门，沿着山麓往右走，一路上只见山崖岩壁参差不齐，云霞和山间的色彩互相映衬。高峻而顶部平坦的，是“板嶂岩”。板嶂岩的下面耸立的又尖又窄的山峰，是“小剪刀峰”。再往前，层层叠叠的山岩上，一座亭亭而立的山峰直入云霄，那便是“观音岩”。观音岩的侧面马鞍岭横亘在前方。险绝的山道曲折盘旋，翻过山坳朝右转，有溪流涌淌，山涧底部的石头平坦得如同磨刀石一样。顺着山涧的深处前行，大概距离灵岩寺十余里，经过常云峰，就可以看到大剪刀峰立在涧旁。大剪刀峰的北面，重岩陡然高耸而起，是“连云峰”。从此处起水绕山环，壁合峰回，真是岩崖穷尽之地。大龙湫瀑布的流水，轰然向下奔流，直泻潭中，山岩展开而且陡峭，然而由于流水并无河床承受，腾空飘忽直下，使人眼前眩晕、心生恐惧。水潭的上方建有庙堂，相传是诺讵那罗汉观赏流泉的处所。自庙堂后面顺石级而上，岩壁上建有一所亭榭，像飞鸟展翅一样，面对瀑布坐着欣赏了很久，才走下山岩返回庵中用饭。绵绵细雨下个不停，而我的心神却已飞到了雁湖山顶。于是冒雨攀至常云峰，自常云峰半山腰的道松洞攀援陡峭的石磴约有三里，前往白云庵。庵废人空，有一个和尚在草丛中，看见有客人来，望了望便走开了。又向前走了一里，到云静庵，便在此处投宿。清隐和尚已经卧病在床数十年了，但还能和客人谈笑。我看四周的山峰被乌云笼罩且绵绵细雨下个不停，很是凄冷，不得不为明天清晨的旅程忧心忡忡。

十四日。天气忽然晴朗，于是强请清隐和尚的弟子做向导。清隐说雁湖中已长满了杂草，变成了荒芜之地，徒弟还有事情要做，但仍可以送我到峰顶。我心想只要能够到达峰顶，就可以游览雁湖了，于是每人手握一根拐杖，在深深的杂草中攀援，一步一喘，行了数里，才到达峰顶。四下望去，白云弥漫，一片白色平铺在山峰之下。各座山峰似云中的朵朵鲜花，只露出一点峰顶，阳光辉映着峰顶，宛如盛着冰块的玉壶，又像是清净洁白的瑶台仙境，让人分辨不出哪里是云海，哪里是山川陆地。但是那云海中的玉环山宛如一抹轻轻的飘带，好像能够俯身拾起来。朝北远望山坳中，岩壁峭立，里面的石笋繁密，高矮不一。三面有长满绿树的山崖环绕，景致比灵岩寺的更优美。但是山谷幽深而境地险绝，只能听见潺潺的流水声，却不能分辨出是从哪里传来的。环望四周的层层峰峦，低些的好像小土堆，那高些的唯有最东边的常云峰尤为突出。

向导告辞时，对我说雁荡在西面中部的一座山峰上，还需再翻三道尖山。我听从向导所言，待翻过第一座尖山，路已经断绝了；再翻过一座尖山，看到要登的山顶已在半空之中了。我心想《大明一统志》说：“宕在山顶，龙湫之水，即自宕来。”（意为：雁荡在山顶，龙湫瀑的水即是自雁荡而来。）现在山势逐渐下降，而上龙湫的山涧，却是自东面的高峰发脉，距离此地已经隔着两道山谷。于是改变行进路线，朝东行，向东面诸峰中最高峻险陡者走去，莲舟和尚感到疲惫不堪，不能跟上我，便从原路往下走，我则与两个仆人朝东翻过两座山岭，人迹已全然消失。前方的山越来越高，山脊也愈来愈狭窄，两边相夹的岩壁陡立，像在刀背上行走。石片棱角都很锋锐，每翻过一道山脊，就遇到一座陡峭的山峰，我与仆人皆从如刀剑般锋利的石片缝隙中攀爬而上。如此攀援了三次后，所经的境地难以容足，又怎么能够容纳一个湖泊呢？接着是高峰的尽头，一座石壁像刀劈般陡峭，我一直惧怕石片锋利逼人，然而行到此处已是没有锋利的石片能够放下脚了。在山崖上犹豫再三，不敢再从原路返回。俯瞰南面的崖壁上有一石级，于是便叫仆人们解下四条绑腿布接成布绳，自悬崖上垂空而下，先让一个仆人顺布绳吊下去，我第二个下去，希望能够找到攀援的道路。等下到石级处，只够容下脚，没有多余的地方。望崖壁下面非常陡峭，深约百余丈，想攀登上去，但是上面的岩石镶嵌在三丈多高的地方，我没有办法飞上去。于是便拉着布绳向上试探着，布绳被突出的石头勒住，忽然断了。我只好接好布绳，用尽全力挽着那条布绳向上攀登，终于爬了上来，脱离了险境。返回云净庵的时候，太阳已经西坠。我们主仆的衣服和鞋子全都给岩石划得破烂不堪，寻找雁湖的兴致也大减。于是我们告别了清隐师徒下山而去，再次来到龙湫瀑布，这时的溪水由于汇入了雨水，如同发怒一般翻滚奔腾顺泻而下，其形态变幻巨大，瀑布就像雪花喷散一样，声音如同打雷一般，气势远甚于往日。我一直待到天黑才走出山门，向南走了四里山路，晚上在能仁寺住下来。

十五日。在能仁寺的后边找到了好些方竹，这些竹子细得如同树枝一样；竹林中新近长出的竹子，大的径围可以达到一寸，这样的竹子比较柔软不适合做手杖，老的可以做手杖，可早已经被砍伐殆尽！我只好从小道翻过四十九盘岭，一路上顺着东海海边向南走，越过窑岙岭，向乐清县方向走去。

游白岳山日记

【解题】

白岳山今称齐云山，在今安徽省南部休宁县城西北。徐霞客于明万历四十四年(丙辰)正月二十六至二月初一(1616 年 3 月 13 日至 18 日)来此山游历。他这次游山，正当春寒，天气恶劣，道路艰险。在他匆匆的游程中“冒雪涉水”寻幽访胜，得以遍游全山。日记中对香炉峰、天门、石桥岩、龙涎泉、龙井诸胜景皆有较细致的描绘。

【原文】

丙辰岁 余同浔阳叔翁，于正月二十六日，至徽之休宁。出西门。其溪自祁门县来，经白岳，循县而南，至梅口，会郡溪入浙。循溪而上，二十里，至南渡。过桥，依山麓十里，至岩下已暮。登山五里，借庙中灯，冒雪蹑冰，二里，过天门，里许，入榔梅庵。路经天门、珠帘之胜，俱不暇辨，但闻树间冰响铮铮。入庵后，大霰作，浔阳与奴子俱后。余独卧山房，夜听水声屋溜，竟不能寐。

二十七日 起视满山冰花玉树，迷漫一色。坐楼中，适浔阳并奴至，乃登太素宫。宫北向，玄帝像乃百鸟衔泥所成，色黧黑。像成于宋，殿新于嘉靖三十七年，庭中碑文，世庙御制也。左右为王灵官、赵元帅殿，俱雄丽。背倚玉屏，前临香炉峰。峰突起数十丈，如覆钟，未游台、宕者或奇之。出庙左，至舍身崖，转而上为紫玉屏，再西为紫霄崖，俱危耸杰起。再西为三姑峰、五老峰，文昌阁据其前。五老比肩，不甚峭削，颇似笔架。

返榔梅，循夜来路，下天梯。则石崖三面为围，上覆下嵌，绝似行廊。循崖而行，泉飞落其外，为珠帘水。嵌之深处，为罗汉洞，外开内伏，深且十五里，东南通南渡。崖尽处为天门。崖石中空，人出入其间，高爽飞突，正如阊阖。门外乔楠中峙，蟠青丛翠。门内石崖一带，珠帘飞洒，奇为第一。返宿庵中，访五井、桥崖之胜，羽士汪伯化，约明晨同行。

二十八日　梦中闻人言大雪，促奴起视，弥山漫谷矣。余强卧。巳刻，同伯化蹑屐二里，复抵文昌阁。览地天一色，虽阻游五井，更益奇观。

二十九日　奴子报："云开，日色浮林端矣。"急披衣起，青天一色，半月来所未睹，然寒威殊甚。方促伯化共饭。饭已，大雪复至，飞积盈尺。偶步楼前，则香炉峰正峙其前。楼后出一羽士曰程振华者，为余谈九井、桥岩、傅岩诸胜。

三十日　雪甚，兼雾浓，咫尺不辨。伯化携酒至舍身崖，饮睇元阁。阁在崖侧，冰柱垂垂，大者竟丈。峰峦灭影，近若香炉峰，亦不能见。

二月初一日　东方一缕云开，已而大朗。浔阳以足裂留庵中。余急同伯化蹑西天门而下。十里，过双溪街，山势已开。五里，山复渐合，溪环石映，倍有佳趣。三里，由溪口循小路入，越一山。二里，至石桥岩。桥侧外岩，高亘如白岳之紫霄。岩下俱因岩为殿。山石皆紫，独有一青石龙蜿蜒于内，头垂空尺余，水下滴，曰龙涎泉，颇如雁宕龙鼻水。岩之右，一山横跨而中空，即石桥也。飞虹垂蝀，下空恰如半月。坐其下，隔山一岫特起，拱对其上，众峰环侍，较胜齐云天门。即天台石梁，止一石架两山间；此以一山高架，而中空其半，更灵幻矣！穿桥而入，里许，为内岩。上有飞泉飘洒，中有僧斋，颇胜。

还饭于外岩。觅导循崖左下。灌莽中两山夹涧，路棘雪迷，行甚艰。导者劝余趋傅岩，不必向观音岩。余恐不能兼棋盘、龙井之胜，不许。行二里，得涧一泓，深碧无底，亦“龙井”也。又三里，崖绝涧穷，悬瀑忽自山坳挂下数丈，亦此中奇境。转而上跻，行山脊二里，则棋盘石高峙山巅，形如擎菌，大且数围。登之，积雪如玉。回望傅岩，屼嵲云际。由彼抵棋盘亦近，悔不从导者。石旁有文珠庵，竹石清映。转东而南，二里，越岭二重，山半得观音岩。禅院清整，然无奇景，尤悔觌面失傅岩也。仍越岭东下深坑，石涧四合，时有深潭，大为渊，小如臼，皆云“龙井”，不能别其孰为“五”，孰为“九”。凡三里，石岩中石脉隐隐，导者指其一为青龙，一为白龙，余笑颔之。又乱崖间望见一石嵌空，有水下注，外有横石跨之，颇似天台石梁。伯化以天且晚，请速循涧觅大龙井。忽遇僧自黄山来，云："出此即大溪，行将何观？"遂返。

里余，从别径向漆树园。行巉石乱流间，返照映深木，一往幽丽。三里，跻其巅，余以为高埒齐云，及望之，则文昌阁犹巍然也。五老峰正对阁而起，五老之东为独耸寨，循其坳而出，曰西天门，五老之西为展旗峰，由其下而渡，曰芙蓉桥。余向出西天门，今自芙蓉桥入也。余望三姑之旁，犹殢日色，遂先登，则落照正在五老间。归庵，已晚餐矣。相与追述所历，始知大龙井正在大溪口，足趾已及，而为僧所阻，亦数也！

【今译】

丙辰年（明万历四十四年，1616年）。我和浔阳叔翁在正月二十六那天一起到徽州府休宁县。我们从县城西门走出去。发现有一条从祁门县流来的溪水，它途中经过白岳山，沿着县城向南流去，在梅口这个地方，汇合了来自郡溪的流水之后流入浙溪水。我们顺着溪流向上走去，走了二十里，便到达南渡。经过一

座桥，顺着山麓走了十里，等到达岩下已是黄昏时分了。我们又登山走了五里山路，从庙里借来灯笼，冒着飞雪，脚踩寒冰，走了两里路，经过天门，再走一里路左右，进入榔梅庵。途中我们经过了天门、珠帘两处胜景，完全没有闲暇去分辨和欣赏景色，只听到树林中冰棱下落的铮铮响声。进入榔梅庵之后，一场很大的冰霰（雪珠）自天而降，这时浔阳叔翁和我的仆人还落在后面。我便独自一人躺卧在山房里的床上，一夜间所听到的全部是屋檐的水滴之声，整晚不能入睡。

二十七日。早上起床后看见满山玉树冰花，天地之间全都迷漫着素白一色。我坐在楼中，恰好看到浔阳叔翁和我的仆人全都赶来了，于是大家便一同去登太素宫。太素宫北向，传说中玄帝的塑像是用百鸟衔来的泥土塑成的，颜色黧黑。这座像是在宋代塑成的，殿堂则是在明朝嘉靖三十七年重新修建，庭中碑文是明世宗御制的。左右两侧是祭祀王灵官、赵元帅的殿堂，都非常雄伟壮丽。太素宫背靠玉屏，前面与香炉峰相对。香炉峰高耸数十丈，像一只倒扣着的钟，没有游过天台山、雁荡山的人们或许会对它感到十分惊奇。自庙的左边走出，到了舍身崖，自北蜑转向上便是紫玉屏，再往西便是紫霄崖，都十分高峻、险拔。再向西乃是三姑峰、五老峰，文昌阁屹立在它的前面。五老峰好像五位老人齐肩并行，不是十分陡峭，像一座笔架。

返回榔梅庵，沿着夜时的来路，走下天梯。但见三面被石崖所围，上边有石崖相盖，下边则嵌于石崖之中很像走廊。顺着石崖朝前走，泉水飞落在石崖之外，便是“珠帘水”胜景所在了。嵌在石崖深处的是罗汉洞，洞外很开阔而洞里则十分低矮，其纵深有十五里，东南方向可以通往南渡。石崖尽处便是天门。崖石中间是空的，游人可以在洞中出入，高爽飞突，感觉如神话中的天门。天门外有高大的楠木树峙立当中，青松盘曲而生，苍翠繁茂。天门内的石崖一带，珠帘水飞洒而下，可称为第一奇景。返回榔梅庵歇宿，探访五井、桥崖的胜景，道士汪伯化邀我明天清晨和他同行。

二十八日。睡梦之中听见有人说下大雪了，便催促仆人起床探看，白雪已经漫山遍谷。我勉强卧在床上。待上午巳刻时分，我同汪伯化穿上木头鞋上路，走了二里，到了文昌阁。看见天地之间白茫茫一片，虽然大雪阻碍了我们的五井之行，但这雪愈加增添了大地的奇丽景观。

二十九日。仆人报告说："云已经散开，阳光浮现在树梢上了。"我赶忙披上衣服起床，但见天地一色，真是半月以来所没有见到过的好天气，然而天气还是非常寒冷。我于是催促汪伯化一起用饭。饭后，大雪又下了起来，鹅毛般的飞雪积下来足足超过一尺。偶尔走到楼前，可以看到香炉峰峙立在前面。楼后走出一位叫程振华的道士，给我讲述九井、桥岩、傅岩各处胜景。

三十日。雪下得更大了，伴有浓雾遮漫，咫尺之内都不能辨清方向。汪伯化带着酒来到舍身崖，与我在睇元阁里同饮赏雪。睇元阁在山崖的侧面，冰柱一根根自崖上往下垂，长的竟有一丈。峰峦的影像消失在雪雾之中，像香炉峰这样距离很近的，也无法看清它的轮廓。

二月初一日。东方一缕云彩散开，接着天空完全放晴了。浔阳叔翁因为脚被冻裂不能行走，只好留歇在榔梅庵。我则急于同汪伯化沿西天门向下行。走了十里，经过双溪街，山势已经显得十分开阔。又走了五里，山势又逐渐合拢，溪流环绕着山石，山石倒映在溪流之中，令我们的游兴倍增。再走三里，自溪口沿着小路进去，翻过一座山。走过两里，便到了石桥岩。石桥岩侧面的外岩，高峻险陡而且绵延如白岳山的紫霄岩。岩下全都是利用岩石建成的殿堂。山岩的颜色皆为紫色，唯独有一条蜿蜒的青色石龙盘在里面，龙头垂空有一尺多高，龙口中有水向外滴，叫"龙涎泉"，很像雁荡山的龙鼻泉。外岩的右边，有一座山横跨而过，山的中间部分是空的，这便是“石桥”。石桥宛如一道彩虹飞架，下面空的地方又好像一弯半月。坐在石桥的下面，我看见山那边有一座山峦突兀耸立，拱对石桥之上，四周有许多山峰环围，其景致比齐云山的天门还要秀美。就是天台山的石梁，也仅是一块巨石横架在两座山之间；而此处一座山高架在两山之间，中间一半是空的，真是奇巧灵妙至极！穿过石桥，又向前走过一里多路，便是“内岩”。内岩上飞泉飘洒，其间还有僧人供给斋饭，真是绝妙的佳境。

返回外岩用饭。找到一位向导沿着山崖的左边下山。两座山峰之间灌木杂草丛生，中间有一条溪涧，路很难走，再加上漫天飞舞的大雪，行路就更加艰难了。向导劝说我们去傅岩，不必去观音岩。我担心不能游览棋盘、龙井的胜景，没有听从。走了二里，看到溪涧中有一潭深水，潭水碧绿深不见底，像是“龙井”了。又前行了三里，山崖和山涧已经穷尽，高悬的瀑布突然自山坳中飞泻数丈而下，也可以称得上是此间奇特的美景了。再暂转向上攀登，从山脊口行了二里，便看见棋盘石高高峙立在山顶，形状宛如一朵向上托起的蘑菇，有好几围大。登上棋盘石，上面覆盖的积雪犹如无瑕的白玉。回头看傅岩，高耸于云中。从傅岩到棋盘石也很近，真后悔没有听从向导的劝说。棋盘石附近有一座文殊庵，庵中的翠竹与山石相互辉映。转而朝东再向南行二里路，越过两座山岭，于山腰处看到观音岩。观音岩禅院清净整洁，但没有什么奇异特别的景致，尤其后悔的是傅岩近在眼前却没有机会游览。翻过山峰越过山岭朝东走下深坑，石涧的四周山崖相围相合，深水潭不时出现，大的叫“渊”，小的则如杵臼一般，都被称作“龙井”，我们不能够分辨出哪处是“五龙井”，哪处是“九龙井”。再向前行进了三里，我看到石岩中的纹理隐约可见，向导指着其中的一处说是青龙，指着另一处说是白龙，我微笑着点头称是。之后我们又在乱崖之中发现一块大石头镶嵌在崖壁上、悬在半空中，并且还有水向下流。一块横石跨于其上，很像天台的石梁。汪伯化认为此时天色已晚，劝我赶快沿着山涧寻觅大龙井。突然，我们遇到一位从黄山来的和尚，他告诉我们说："走出这里便是大溪了，还要欣赏什么别的景致？"我们便返回了。

之后走了一里多的山路，我们便从其他小径上朝着漆树园的方向前行。在岩石和乱流中行走，这时夕阳返照着深邃幽丽的树林，显得分外静谧瑰丽。我们又走三里，攀上漆树园的山顶，我原本以为这座山的高峻险峭可以和齐云山媲美，但是一一观察之后，认为还是文昌阁更为高大巍峨。五老峰正对着文昌阁耸立着，它的东边是独耸寨，我们从独耸寨的山坳中走出来，这里叫"西天门"，五老峰的西边是展旗峰，在展旗峰下渡过溪流，叫做"芙蓉桥"，我过去从西天门出来，现在却从芙蓉桥进去。这时我看到夕阳的余晖照在三姑岩的旁边，于是就先登上去，看见那西下的太阳正在五老峰间冉冉而坠。回到榔梅庵时，已经到了吃晚饭的时候。我们互相追忆述说这一天的旅程，才明白大龙井就在大溪口，我们已经快到那里了，却被一个和尚误导，算是天意吧！

游黄山日记

【解题】

黄山位于安徽省南部，主要山体在今黄山市境内，跨歙、黟、太平、休宁四县。黄山原名黟山，相传黄帝与容成子、浮丘公曾同在这里炼丹，故唐代天宝年间改名为黄山，并沿用至今。黄山风景秀丽，以奇峰、怪石、云海、温泉著名，胜景有二湖、三瀑、二十四溪、七十二峰。是中国最著名的风景区之一，也是世界文化和自然遗产，已列入《世界遗产名录》，有“五岳归来不看山，黄山归来不看岳”之誉。

徐霞客于明万历四十四年(丙辰)二月初二至十一(1616 年 3 月 19 日至 28 日) 第一次登临并游历黄山。日记详细记叙了黄山的主要旅游资源和景色特点。

【原文】

初二日　自白岳下山，十里，循麓而西，抵南溪桥。渡大溪，循别溪，依山北行。十里，两山峭逼如门，溪为之束。越而下，平畴颇广。二十里，为猪坑。由小路登虎岭，路甚峻。十里，至岭。五里，越其麓。北望黄山诸峰，片片可掇。又三里，为古楼坳。溪甚阔，水涨无梁，木片弥满布一溪，涉之甚难。二里，宿高桥。

初三日　随樵者行，久之，越岭二重。下而复上，又越一重。两岭俱峻，曰双岭。共十五里，过江村。二十里，抵汤口，香溪、温泉诸水所由出者。折而入山，沿溪渐上，雪且没趾。五里，抵祥符寺。汤泉在隔溪，遂俱解衣赴汤池。池前临溪，后倚壁，三面石甃，上环石如桥。汤深三尺，时凝寒未解，而汤气郁然，水泡池底汩汩起，气本香冽。黄贞父谓其不及盘山，以汤口、焦村孔道，浴者太杂遝也。浴毕，返寺。僧挥印引登莲花庵，蹑雪循涧以上。涧水三转，下注而深泓者，曰白龙潭；再上而停涵石间者，曰丹井；井旁有石突起，曰“药臼”，曰“药铫”。宛转随溪，群峰环耸，木石掩映。如此一里，得一庵，僧印我他出，不能登其堂。堂中香炉及钟鼓架，俱天然古木根所为。遂返寺宿。

初四日 兀坐听雪溜竟日。

初五日 云气甚恶，余强卧至午起。挥印言慈光寺颇近，令其徒引。过汤地，仰见一崖，中悬鸟道，两旁泉泻如练。余即从此攀跻上，泉光云气，撩绕衣裾。已转而右，则茅庵上下，磬韵香烟，穿石而出，即慈光寺也。寺旧名珠砂庵。比丘为余言：“山顶诸静室，径为雪封者两月。今早遣人送粮，山半雪没腰而返。”余兴大阻，由大路二里下山，遂引被卧。

初六日 天色甚朗。觅导者各携筇上山，过慈光寺。从左上，石峰环夹，其中石级为积雪所平，一望如玉。疏木茸茸中，仰见群峰盘结，天都独巍然上挺。数里，级愈峻，雪愈深，其阴处冻雪成冰，坚滑不容着趾。余独前，持杖凿冰，得一孔置前趾，再凿一孔，以移后趾。从行者俱循此法得度。上至平冈，则莲花、云门诸峰，争奇竞秀，若为天都拥卫者。由此而入，绝巘危崖，尽皆怪松悬结。高者不盈丈，低仅数寸，平顶短鬣，盘根虬干，愈短愈老，愈小愈奇，不意奇山中又有此奇品也！松石交映间，冉冉僧一群从天而下，俱合掌言："阻雪山中已三月，今以觅粮勉到此。公等何由得上也？"且言："我等前海诸庵，俱已下山，后海山路尚未通，惟莲花洞可行耳。"已而从天都峰侧攀而上，透峰罅而下，东转即莲花洞路也。余急于光明顶、石笋矼之胜，遂循莲花峰而北。上下数次，至天门。两壁夹立，中阔摩肩，高数十丈，仰面而度，阴森悚骨。其内积雪更深，凿冰上跻，过此得平顶，即所谓前海也。由此更上一峰，至平天矼。矼之兀突独耸者，为光明顶。由矼而下，即所谓后海也。盖平天矼阳为前海，阴为后海，乃极高处，四面皆峻坞，此独若平地。前海之前，天都莲花二峰最峻，其阳属徽之歙，其阴属宁之太平。

余至平天矼，欲望光明顶而上。路已三十里，腹甚枵，遂入矼后一庵。庵僧俱踞石向阳。主僧曰智空，见客色饥，先以粥饷。且曰："新日太皎，恐非老晴。"因指一僧谓余曰："公有余力，可先登光明顶而后中食，则今日犹可抵石笋矼，宿是师

处矣。”余如言登顶，则天都、莲花并肩其前，翠微、三海门环绕于后，下瞰绝壁峭岫，罗列坞中，即丞相原也。顶前一石，伏而复起，势若中断，独悬坞中，上有怪松盘盖。余侧身攀踞其上，而浔阳踞大顶相对，各夸胜绝。

下入庵，黄粱已熟。饭后，北向过一岭，踯躅菁莽中，入一庵，曰狮子林，即智空所指宿处。主僧霞光，已待我庵前矣。遂指庵北二峰曰：“公可先了此胜。”从之。俯窥其阴，则乱峰列岫，争奇并起。循之西，崖忽中断，架木连之，上有松一株，可攀引而度，所谓接引崖也。度崖，空石罅而上，乱石危缀间，构木为石，其中亦可置足，然不如踞石下窥更雄胜耳。下崖，循而东，里许，为石笋矼。矼脊斜亘，两夹悬坞中，乱峰森罗，其西一面即接引崖所窥者。矼侧一峰突起，多奇石怪松。登之，俯瞰壑中，正与接引崖对瞰，峰回岫转，顿改前观。

下峰，则落照拥树，谓明晴可卜，踊跃归庵。

霞光设茶，引登前楼。西望碧痕一缕，余疑山影。僧谓："山影夜望甚近，此当是云气。"余默然，知为雨兆也。

初七日 四山雾合。少顷，庵之东北已开，西南腻甚，若以庵为界者，即狮子峰亦在时出时没间。晨餐后，由接引崖践雪下。坞半一峰突起，上有一松裂石而出，巨干高不及二尺，而斜拖曲结，蟠翠三丈余，其根穿石上下，几与峰等，所谓"扰龙松"是也。

攀玩移时，望狮子峰已出，遂杖而西。是峰在庵西南，为案山。二里，蹑其巅，则三面拔立坞中，其下森峰列岫，自石笋、接引两坞迤逦至此，环结又成一胜。登眺间，沉雾渐爽，急由石笋矼北转而下，正昨日峰头所望森阴径也。群峰或上或下，或巨或纤，或直或欹，与身穿绕而过。俯窥辗顾，步步生奇，但壑深雪厚，一步一悚。

行五里，左峰腋一窦透明，曰"天窗"。又前，峰旁一石突起，作面壁状，则"僧坐石"也。下五里，径稍夷，循涧而行。忽前涧乱石纵横，路为之塞。越石久之，一阙新崩，片片欲堕，始得路。仰视峰顶，黄痕一方，中间绿字宛然可辨，是谓"天牌"，亦谓"仙人榜"。又前，鲤鱼石；又前，白龙池。共十五里，一茅出涧边，为松谷庵旧基。再五里，循溪东西行，又过五水，则松谷庵矣。再循溪下，溪边香气袭人，则一梅亭亭正发，山寒稽雪，至是始芳。抵青龙潭，一泓深碧，更会两溪，比白龙潭势既雄壮，而大石磊落，奔流乱注，远近群峰环拱，亦佳境也。还餐松谷，往宿旧庵。余初至松谷，疑已平地，及是询之，须下岭二重，二十里方得平地，至太平县共三十五里云。

初八日 拟寻石笋奥境，竟为天夺，浓雾迷漫。抵狮子林，风愈大，雾亦愈厚。余急欲趋炼丹台，遂转西南。三里，为雾所迷，偶得一庵，入焉。雨大至，遂宿此。

初九日 逾午少霁。庵僧慈明，甚夸西南一带峰岫不减石笋矼，有"秃颅朝天"、"达摩面壁"诸名。余拉浔阳蹈乱流至壑中，北向即翠微诸峦，南向即丹台诸坞，大抵可与狮峰竞驾，未得比肩石笋也。雨踵至，急返庵。

初十日 晨，雨如注，午少停。策杖二里，过飞来峰，此平天矼之西北岭也。其阳坞中，峰壁森峭，正与丹台环绕。二里，抵台。一峰西垂，顶颇平伏。三面壁翠合沓，前一小峰起坞中，其外则翠微峰、三海门蹄股拱峙。登眺久之。东南一里，绕出平天矼下。雨复大至，急下天门。两崖隘肩，崖额飞泉，俱从人顶泼下。出天门，危崖悬叠，路缘崖半，比后海一带森峰峭壁，又转一境。"海螺石"即在崖旁，宛转酷肖，来时忽不及察，今行雨中，颇稔其异，询之始知。已趋大悲庵，由其旁复趋一庵，宿悟空上人处。

十一日 上百步云梯。梯磴插天，足趾及腮，而磴石倾侧硿岈，兀兀欲动，前下时以雪掩其险，至此骨意俱悚。上云梯，即登莲花峰道。又下转，由峰侧而入，即文殊院、莲花洞道也。以雨不止，乃下山，入汤院，复浴。由汤口出，二十里抵芳村，十五里抵东潭，溪涨不能渡而止。黄山之流，如松谷、焦村，俱北出太平；即南流如汤口，亦北转太平入江；惟汤口西有流，至芳村而巨，南趋岩镇，至府西北与绩溪会。

【今译】

初二日。我从白岳山下来，走十里，顺着山脚向西，抵达南溪桥。渡过大溪，顺着别溪水，再沿着山脚向北走。又走十里，只见眼前两山十分陡峭，像两扇逼近的石门，溪水至此为它所束。越过两山向下走，眼前田畴平坦且宽广。走二十里，就是猪坑。从小路攀登虎岭，道路非常险峻。走十里，到达虎岭。又走五里，越过虎岭山麓。向北看，黄山的各座山峰，如片片山石，似乎可以捡拾起来一样。又走三里，就是古楼坳。溪面宽阔，溪水暴涨又没有桥梁，木片遍布整条溪水，赤足涉过溪水很艰难。过二里后，在高桥歇宿。

初三日。随樵夫一同前行，走了很久，越过两座山岭。下山后又爬上另一座山，又越过一座山岭。两座山岭都很险峻，叫“双岭”。总共走了十五里，经过江村。再走二十里，到达汤口，是香溪、温泉各条溪水流出的地方。踅转方向进入山中，溯着溪水上山，雪深足可埋没脚趾。走五里后，抵达祥符寺。温泉就在隔溪，于是大家解衣脱鞋到温水池里洗澡。温泉池前临溪水，后倚岩壁，三面都用石头镶砌，上面环架的石条像桥一样。温泉水深三尺，当时冬寒未尽，温暖的水汽向上蒸腾，水泡从池底汩汩冒出，气味很是清香。黄贞父说黄山的温泉不及盘山的好，是因为汤口、焦村是交通孔道，来洗浴的人太多太杂。洗浴完毕，返回祥符寺。挥印和尚带引我们登山去莲花庵，踏着积雪、顺着山涧上山。涧水三次转弯，下流注入深潭中，叫“白龙潭”；再往上，山涧水在石间的涵洞停歇，那涵洞叫“丹井”；丹井旁有石头突起，叫“药臼”“药铫”。溪水宛转前行，四周群峰环绕，树林与山石相互掩映。在这样的景致中走了一里路，找到一座寺庵，印我和尚因他事外出，我们不能进入庵堂歇憩。只见庵堂中的香炉、钟鼓架，都是用天然的古树根雕刻而成。于是返回祥符寺住宿。

初四日。整天枯坐，听雪滑落的声音。

初五日。阴云，天气非常恶劣，我强迫自己睡在床上到中午才起来。挥印和尚说慈光寺很近，叫他的徒弟带引我们去游览。经过温泉池，仰身见一山崖，其中悬着艰险的小道，小道两旁倾泻而下的泉水像雪白的绢匹。我从这里攀登上去，泉水的闪光与云气，在衣襟前后缭绕。后转向右走，看见茅草寺庵上上下下，磬钹的声音与袅袅而起的香烟，穿越石头散发出来，这就是“慈光寺”。慈光寺旧名“珠砂庵”。和尚对我说：“通往山顶上的各处静室的道路被积雪封闭已两个月了。今早派人去送粮食，因半山腰积雪有半人厚，无法通过而返回。”我的兴致顿时大减，就从大道走了二里路下山，回到住所，拉过棉被倒头便睡。

初六日。天色晴朗。寻觅到一位向导，各自拿着竹杖上山，经过慈光寺。从左面向上攀登，石峰环绕相夹，其中的石级被积雪覆盖掩平，一眼望去如同白玉。稀疏的树木披满白茸茸的雪花，仰望黄山群峰盘根错节，唯独天都峰巍然挺立于群峰之上。往上走数里，石级越来越险峻，积雪越来越深，那些背阴的地方雪已冻结成冰，坚硬而溜滑，不能行走。我独自一人前进，拿着竹杖凿冰，挖出一个孔洞放置前脚，再凿一个孔洞，以移动后脚。同行的人都用这一方法得以前行。往上走到平冈，看见莲花峰、云门峰诸峰争奇竞秀，像是天都峰的护卫。从这里进去，无论是极陡峭的山，或是高峻的石崖上，全都有怪异的松树悬空盘结，高的不超过一丈，矮的仅有几寸，平顶上的松树松针很短，盘根错节而枝干弯曲如虬，越短粗的年岁越大，越矮小的越是怪异，想不到这奇山中竟有如此奇物呵！在奇松怪石交相辉映间，一群和尚仿佛从天而降，慢慢向我们走来，都合掌说："我们被雪阻隔在山中已三个月，现在因为寻觅粮食勉强走到这里。诸位为什么上山呢？"又说："我们前海各庵的僧人，都已下山，后海的山路尚未通行，只有莲花洞的路可以走。"后来，我们就从天都峰侧面攀援而上，穿过山峰缝隙下山，向东转就是去莲花洞的路了。我急切地想观赏光明顶、石笋矼的胜景，于是顺着莲花峰向北走。上上下下好几次，到达天门。天门两边有刀削般陡直的石壁相夹，中间仅能摩肩而行，高则数十丈，仰面向上观看，阴森得令人毛骨悚然。天门内积雪更深，凿出冰洞向上攀登，走过这里就到平顶，就是前海了。从这里再登上一峰，到达平天矼。平天矼上独耸而突兀的地方，是"光明顶"。从平天矼向下走，就是后海了。平天矼的南面是前海，北面是后海，是最高的地方，四面都是险峻的凹地，唯独这里犹如平地。前海的前面，天都、莲花两座山峰最高峻，南面属于徽州府的歙县，北面属于宁国府的太平县。

我到平天矼时，很想登上光明顶。走了三十里的山路，肚子很饿，于是走进平天矼后面的一座庵里。庵里的和尚都坐在石头上，面朝南。主持和尚叫智空，看见我们面露饥色，便用稀饭款待。并且说："刚出来的太阳太明亮，恐怕晴不了几天。"于是指着一位和尚对我说："徐公如果有余力，可以先登览光明顶后再吃中饭，那么今天还可以抵达石笋矼，晚上在这位禅师处歇宿。”我照他说的登上光明顶，只见天都、莲花两峰在前方并肩而立，翠微、三海门在后面环绕，向下鸟瞰，极陡峭的山崖和峻峭的山岭，罗列于大山坞中，那就是“丞相原”了。光明顶前有一巨石，低伏一段后又重新峙立，好像中断了一样，孤独地悬空在山坞中，石上有怪异的松树盘根错节地覆盖着。我侧身攀上巨石，坐下，浔阳叔翁则坐在光明顶上与我相对，各自夸赞这绝美的景致。

走下光明顶进入庵堂，黄粱米饭已经熟了。饭后，向北走，经过一座山岭，在草木茂盛的林莽中徘徊，走进一座庵中，名“狮子林”，就是智空指点的歇宿之处。狮子林的主持霞光和尚，已在庵前等候我了。他指着庵北面的两座山峰说：“徐公可以先游玩这处胜景。”我听从他的话。俯身窥视两峰的北面，只见峰峦众多、山岭并列，一齐耸立着争奇显胜。顺着两峰往西走，山崖忽然中断，有木桥将两边连通，上面有一株松树，可以攀引着越过木桥，这就是“接引崖”了。过了接引崖，穿过石岩缝隙向上攀登。乱石连缀的地方很危险，以木料作石梁相架，可以在上面行走，然而不如坐在岩石上往下窥探，景致更为壮丽。走下接引崖，顺小路往东行一里多路，就是石笋矼。石笋矼山脊倾斜连绵，两夹崖壁悬于山坞中，乱峰森罗万象，西边就是在接引崖上所窥见的地方。石笋矼侧面有一峰突起，上面有很多奇石怪松。登上峰顶，俯瞰山谷，正好与接引崖对视，峰回山转，顿改前观。

走下山峰，只见夕阳环拥树林，想来明天肯定是个晴朗的好天气，不由得兴高采烈地赶回狮子林庵。霞光主持准备好茶水，领我登上前楼。向西眺望，天边有一缕碧绿色的淡影，我怀疑是山峰的阴影，霞光和尚却说：“山影夜晚看起来很近，这应当是云气。”我一下子沉默无语，知道这是下雨的前兆。

初七日。四周的山都被浓雾掩合成一体。一会儿，庵东北面的雾已经散开，而西南方的雾还很浓腻，如果以庵为分界，就是很近的狮子峰也在雾中时隐时现。早餐后，由接引崖踏着积雪下山。山坞半腰处一座山峰突起，峰上有棵挣裂石头长出的松树，粗大的树干高不过二尺，斜向延伸，盘结弯曲，翠绿的枝叶曲折环绕有三丈多长，树根上上下下穿过石岩，其长度几乎与山峰之高相等，这就是所谓的“扰龙松”了。

攀登赏玩了一段时间，看看已走出狮子峰，于是拄着手杖往西走。这座山峰在狮子林庵的西南方，叫“案山”。走了二里路，登上案山之巅，三面拔起峙立山坞中，山下是森罗万象的峰峦和众多的山岭，从石笋矼、接引崖两处山坞曲折连绵到这里，环绕盘结又成一处胜景。登高远眺间，浓雾渐渐消散，我急忙从石笋矼北面踅转而下，正是昨天在峰顶看见的阴森道路了。群峰高低不齐，大小不一，姿态各异，行进其中，往往擦身穿绕而过。俯仰窥视，辗转回顾，每走一步都有新奇的感觉，但是山谷深且积雪厚，每走一步都十分恐惧。

走过五里，见左边山峰腋部有一孔穴透出光明，称作“天窗”。再往前，山峰旁有一石突起，作面壁的样子，则是“僧坐石”了。往下走五里路，道路稍稍平坦，顺着山涧前行。忽见前面山涧中乱石纵横，阻塞了道路。越过乱石走了很久，见到新裂开的一个缺口，山壁上片片石

块似乎就要坠落，才重新找到路。仰视峰顶，有一块黄色的方形痕迹，中间的绿色字迹仿佛可以辨认，这就是“天牌”，也叫“仙人榜”。又前行，到鲤鱼石；再往前行，是白龙池。总计走了十五里路，一座茅庐出现在涧水边，是松谷庵的旧址。再走五里路，顺着溪水向东西方向走，渡过五条溪水，到达松谷庵。再顺着溪水往下走，溪边阵阵香气袭人，原来是一棵亭亭玉立的梅树正在开花，山谷严寒到处是积雪，到这里才开始有花香。抵达青龙潭，只见一泓深而碧绿的潭水，又汇合了两条溪水，比之白龙潭，气势雄壮，又有突兀的大石，奔流的溪水向潭中注入，远近的群峰环卫着它，也是一处优美的景观。回到松谷庵吃晚饭，在松谷庵旧址的茅庐里住宿。我初到松谷庵时，猜测已经到了平地，等到询问这里的人，说是还必须越过二重山岭，二十里山路后才能走到平地，到太平县共有三十五里路，等等。

初八日。准备去寻觅石笋矼的神秘之处，不料天公不作美，浓雾迷漫四野。抵达狮子林时，风更大了，雾也愈加浓厚了。我急切地想赶到炼丹台，于是转向西南方向。走了三里，被浓雾迷失了道路，偶然得见一庵，就进入庵里。猛地下起大雨来，只好在此住宿。

初九日。过了中午，天气稍稍晴朗。庵里的慈明和尚，很赞赏庵外西南一带的山峰岩洞，险奇不弱于石笋矼，有“秃颅朝天”“达摩面壁”诸胜景。我拉着浔阳叔翁踏过乱流来到山谷中，北面是翠微峰等峰峦，南面是炼丹台等山坞，景致大体上可与狮子峰并驾齐驱，而不能与石笋矼相比。雨接踵而至，我们急忙返回庵中。

初十日。早晨，大雨如注，中午时稍微停了一会。拄手杖走二里路，经过飞来峰，来到平天矼西北面的山岭。飞来峰南面的山坞中，山峰壁立陡峭，正好与炼丹台相互环绕。走了二里，抵达炼丹台。一座山峰向西倾斜，峰顶很平坦。三面有青翠树木覆盖的岩壁，重重叠叠，前面一座小峰峦在山坞中突起，山坞外翠微峰、三海门像脚与腿一般环卫峙立着。登上峰顶四处眺望了很久。向东南方走一里路，从平天矼下绕出来。大雨又下起来，急忙走下天门。两山崖之间十分狭隘仅有肩宽，崖顶上的飞泉，都从头顶上泼洒下来。走出天门，高耸的山崖悬空重叠，道路沿着山崖半腰延伸，比之后海一带森严的山峰、陡峭的岩壁，又是另一种境地。"海螺石"在岩崖旁边，扭转的形态非常像一只海螺。来的时候走快了，来不及仔细观察，现在在雨中行走，倒对它的奇异之处很眼熟，这是询问别人后才知道的。后来去大悲庵，从大悲庵旁边又去另一庵，在悟空上人处宿歇。

十一日。登上百步云梯。百步云梯的石磴很陡，似乎直插入云霄，爬石磴时脚趾几乎触到脸腮，而且石磴的石条倾斜、中间空隙很大，高凸兀立，似乎在晃动。先前下山时因积雪掩盖了它的险峻，现在看清了，顿觉毛骨悚然。上完百步云梯，随即登上去莲花峰的路。又向下转，由莲花峰侧面进入，就是通向文殊院、莲花洞的路了。因为雨一直不停，于是下山，进入温泉院，再次沐浴。由汤口出来，行二十里路抵达芳村，又走十五里抵达东潭，溪水暴涨不能渡河而停下来。黄山的溪流，如松谷溪、焦村溪，都是北向流出太平县；即便向南流的汤口溪，也向北转，流到太平县后再流向长江；唯独汤口西边有条溪流，到芳村汇成巨流，向南流向岩镇，到徽州府西北面与绩溪汇合。

游武彝山日记

【解题】

武彝山通称武夷山，位于福建、江西两省间，其主脊线偏于福建省一侧，东北—西南走向。通常游人所去的地方，指福建省崇安县城南15公里处，方圆60公里的一片山峦，有36峰布列于武彝溪两岸。山麓中有众多的清泉、飞瀑和溪流。武彝山是福建的著名风景区，山中奇景甚多，除了石峰涧水等自然景观之外，还有悬棺这一人文景观。徐霞客游记中所记之“架壑舟”即是船形悬棺。

徐霞客于明万历四十四年（丙辰）二月二十一日至二十三日（1616年4月7日至9日）游览武彝山，先是乘船沿溪而游，然后弃舟步行，所记徐缓从容，舒畅自如。

【原文】

二月二十一日　出崇安南门，觅舟。西北一溪自分水关，东北一溪自温岭关，合注于县南，通郡省而入海。顺流三十里，见溪边一峰横欹，一峰独耸。余咤而瞩目，则欹者幔亭峰，耸者大王峰也。峰南一溪，东向而入大溪者，即武彝溪也。冲祐宫傍峰临溪。余欲先抵九曲，然后顺流探历，遂舍宫不登，逆流而进。流甚驶，舟子跣行溪间以挽舟。第一曲，右为幔亭峰、大王峰，左为狮子峰、观音岩。而溪右之濒水者曰水光石，上题刻殆遍。二曲之右为铁板嶂、翰墨岩，左为兜鍪峰、玉女峰。而板嶂之旁，崖壁峭立，间有三孔，作“品”字状。三曲右为会仙岩，左为小藏峰、大藏峰。大藏壁立千仞，崖端穴数孔，乱插木板如机杼。一小舟斜架穴口木末，号曰“架壑舟”。四曲右为钓鱼台、希真岩，左为鸡栖岩、晏仙岩。鸡栖岩半有洞，外隘中宏，横插木板，宛然埘桀。下一潭深碧，为卧龙潭。其右大隐屏、接笋峰，左更衣台、天柱峰者，五曲也。文公书院正在大隐屏下。抵六曲，右为仙掌岩、天游峰，左为晚对峰、响声岩。回望隐屏、天游之间，危梯飞阁悬其上，不胜神往。而舟亦以溜急不得进，还泊曹家石。

登陆入云窝，排云穿石，俱从乱崖中宛转得路。窝后即接笋峰。峰骈附于大隐屏，其腰横两截痕，故曰“接笋”。循其侧石隘，跻磴数层，四山环翠，中留隙地如掌者，为茶洞。洞口由西入，口

南为接笋峰，口北为仙掌岩。仙掌之东为天游，天游之南为大隐屏。诸峰上皆峭绝，而下复攒凑，外无磴道，独西通一罅，比天台之明岩更为奇矫也。从其中攀跻登隐屏，至绝壁处，悬大木为梯，贴壁直竖云间。梯凡三接，级共八十一。级尽，有铁索横系山腰，下凿坎受足。攀索转峰而西，夹壁中有冈介其间，若垂尾，凿磴以登，即隐屏顶也。有亭有竹，四面悬崖，凭空下眺，真仙凡敻隔。仍悬梯下，至茶洞。仰视所登之处，崭然在云汉。

隘口北崖即仙掌岩。岩壁屹立雄展，中有斑痕如人掌，长盈丈者数十行。循岩北上至岭，落照侵松，山光水曲，交加入览。南转，行夹谷中。谷尽，忽透出峰头，三面壁立，有亭踞其首，即天游峰矣。是峰处九曲之中，不临溪，而九曲之溪三面环之。东望为大王峰，而一曲至三曲之溪环之。南望为更衣台，南之近者，则大隐屏诸峰也，四曲至六曲之溪环之。西望为三教峰，西之近者，则天壶诸峰也，七曲至九曲之溪环之。惟北向无溪，而山从水帘诸山层叠而来，至此中悬。其前之俯而瞰者，即茶洞也。自茶洞仰眺，但见绝壁干霄，泉从侧间泻下，初不知其上有峰可憩。其不临溪而能尽九溪之胜，此峰固应第一也。立台上，望落日半规，远近峰峦，青紫万状。台后为天游观。亟辞去，抵舟已入暝矣。

二十二日 登涯，辞仙掌而西。余所循者，乃溪之右涯，其隔溪则左涯也。第七曲右为三仰峰、天壶峰，左为城高岩。三仰之下为小桃源，崩崖堆错，外成石门。由门伛偻而入，有地一区，四山环绕，中有平畦曲涧，围以苍松翠竹，鸡声人语，俱在翠微中。出门而西，即为北廊岩，岩顶即为天壶峰。其对岸之城高岩矗然独上，四旁峭削如城。岩顶有庵，亦悬梯可登，以隔溪不及也。第八曲右为鼓楼岩、鼓子岩，左为大廪石、海蚱石。余过鼓楼岩之西，折而北行坞中，攀援上峰顶，两石兀立如鼓，鼓子岩也。岩高亘亦如城，岩下深坳，一带如廊，架屋横栏其内，曰鼓子庵。仰望岩上，乱穴中多木板横插。转岩之后，壁间一洞更深敞，曰吴公洞。洞下梯已毁，不能登。望三教峰而趋，缘山越磴，深木蓊苁其上。抵峰，有亭缀其旁，可东眺鼓楼、鼓子诸胜。山头三峰，石骨挺然并矗。从石罅间蹑磴而升，傍崖得一亭。穿亭入石门，两崖夹峙，壁立参天，中通一线、上下尺余，人行其间，毛骨阴悚。盖三峰攒立，此其两峰之罅；其侧尚有两罅，无此整削。

已下山，转至山后，一峰与猫儿石相对峙，盘亘亦如鼓子，为灵峰之白云洞。至峰头，从石罅中累级而上，两壁夹立，颇似黄山之天门。级穷，迤逦至岩下，因崖架屋，亦如鼓子。登楼南望，九曲上游，一洲中峙，溪自西来，分而环之，至曲复合为一。洲外两山渐开，九曲已尽。是岩在九曲尽处，重岩回叠，地甚幽爽。岩北尽处，更有一岩尤奇：上下皆绝壁，壁间横坳仅一线，须伏身蛇行，盘壁而度，乃可入。余即从壁坳行；已而渐低，壁渐危，则就而伛偻；愈低愈狭，则膝行蛇伏，至坳转处，上下仅悬七寸，阔止尺五。坳外壁深万仞。余匍匐以进，胸背相摩，盘旋久之，得度其险。岩果轩敞层叠，有斧凿置于中，欲开道而未就也。半晌，返前岩。更至后岩，方构新室，亦幽敞可爱。出向九曲溪，则狮子岩在焉。

循溪而返，隔溪观八曲之人面石、七曲之城高岩，种种神飞。复泊舟，由云窝入茶洞，穹窿窈窕，再至矣，再不能去！已由云窝左转，入伏羲洞，洞颇阴森。左出大隐屏之阳，即紫阳书院，谒先生庙像。顺流鼓棹，两岩苍翠纷飞，翻恨舟行之速。已过天柱峰、更衣台，泊舟四曲之南涯。自御茶园登岸，欲绕出金鸡岩之上，迷荆丛棘，不得路。乃从岩后大道东行，冀有旁路可登大藏、小藏诸峰，复不得。透出溪旁，已在玉女峰下。欲从此寻一线天，徬徨无可问，而舟泊金鸡洞下，迥不相闻。乃沿溪觅路，迤逦大藏、小藏之麓。一带峭壁高骞，砂碛崩壅，土人多植茶其上。从茗柯中行，下瞰深溪，上仰危崖，所谓“仙学堂”“藏仙窟”，俱不暇辨。

已至架壑舟，仰见虚舟宛然，较前溪中所见更悉。大藏之西，其路渐穷。向荆棘中扪壁面上，还瞰大藏西岩，亦架一舟，但两崖对峙，不能至其地也。忽一舟自二曲逆流而至，急下山招之。其人以舟来受，亦游客初至者，约余返更衣台，同览一线天、虎啸岩诸胜。过余泊舟处，并棹顺流而下，欲上幔亭，问大王峰。抵一曲之水光石，约舟待溪口，余复登涯，少入，至止止庵。望庵后有路可上，遂趋之，得一岩，僧诵经其中，乃禅岩也。登峰之路，尚在止止庵西。仍下庵前西转，登山二里许，抵峰下，从乱箐中寻登仙石。石旁峰突起，作仰企状，鹤模石在峰壁罅间，霜翎朱顶，裂纹如绘。旁路穷，有梯悬绝壁间，蹑而上，摇摇欲堕。梯穷得一岩，则张仙遗蜕也。岩在峰半，觅徐仙岩，皆石壁不可通；下梯寻别道，又不可得；蹑石则峭壁无阶，投莽则深密莫辨。佣夫在前，得断磴，大呼得路。余裂衣不顾，趋就之，复不能前。日已西薄，遂以手悬棘，乱坠而下，得道已在万年宫右。趋入宫，宫甚森敞。羽士迎言："大王峰顶久不能到，惟张岩梯在。峰顶六梯及徐岩梯俱已朽坏。徐仙蜕已移入会真庙矣。"出宫右转，过会真庙。庙前大枫扶疏，荫数亩，围数十抱。别羽士，归舟。

二十三日　登陆，觅换骨岩、水帘洞诸胜。命移舟十里，候于赤石街，余乃入会真观，谒武彝君及徐仙遗蜕。出庙，循幔亭东麓北行二里，见幔亭峰后三峰骈立，异而问之，三姑峰也。换骨岩即在其旁，望之趋。登山里许，飞流汩然下泻。俯瞰其下，亦有危壁，泉从壁半突出，疏竹掩映，殊有佳致。然业已上登，不及返顾，遂从三姑又上半里，抵换骨岩，岩即幔亭峰后崖也。岩前有庵。从岩后悬梯两层，更登一岩。岩不甚深，而环绕山巅如叠嶂。土人新以木板循岩为室，曲直高下，随岩宛转。循岩隙攀跻而上，几至幔亭之顶，以路塞而止。返至三姑峰麓，绕出其后，复从旧路下，至前所瞰突泉处。从此越岭，即水帘洞路；从此而下，即突泉壁也。余前从上瞰，未尽其妙，至是复造其下。仰望突泉又在半壁之上，旁引水为碓，有梯架之，凿壁为沟以引泉。余循梯攀壁，至突泉下。其坳仅二丈，上下俱危壁，泉从上壁堕坳中，复从坳中溢而下堕。坳之上下四旁，无处非水，而中有一石突起可坐。坐久之，下壁循竹间路，越岭三重，从山腰约行七里，乃下坞。穿石门而上，半里，即水帘洞。危崖千仞，上突下嵌，泉从岩顶堕下。岩既雄扩，泉亦高散，千条万缕，悬空倾泻，亦大观也！其岩高矗上突，故岩下构室数重，而飞泉犹落槛外。

先在途闻睹阁寨颇奇，道流指余仍旧路，越山可至。余出石门，爱坞溪之胜，误走赤石街道。途人指从此度小桥而南，亦可往。从之，登山入一隘，两山夹之，内有岩有室，题额乃“杜辖岩”，土人讹误传为睹阁耳。再入，又得一岩，有曲槛

悬楼，望赤石街甚近。遂从旧道，三里，渡一溪，又一里，则赤石街大溪也。下舟，挂帆二十里，返崇安。

【今译】

二月二十一日。我从崇安县的南城门出去，寻找可以乘坐的船只。西北方有一条溪流从分水关流出，东北面还有一条溪流从温岭关流来，两溪汇合之后一同注入崇安县县南，再通过郡省流入大海。船只顺着河流前行了三十里水路，这时我看见溪边有一座山峰横斜而生，一座山峰则独自耸立。这种景色使我十分惊异，因此很注意它，那座横斜的山峰便是幔亭峰，高耸入云的则是大王峰。山峰的南面有一条溪水，向东流进大溪，是武彝溪。冲祐宫北面傍依着山峰，前面临着溪水。我想先到九曲，之后再沿着溪水探究胜景，于是不去冲祐宫，逆流而上。流水非常湍急，纤夫光着脚丫子行走在溪水中拉着船只向前走。到达第一曲处，右边是幔亭峰、大王峰，左边是狮子峰、观音岩。然而在溪流右边那濒临溪水的叫“水光石”，上面几乎布满了各种题刻。二曲的右边，便是人们说的铁板嶂、翰墨岩，左边是兜鍪峰、玉女峰。铁板嶂的旁侧，崖壁陡峭而笔直，其中有三个孔穴，呈“品”字形。三曲的右边是会仙岩，左边是小藏峰、大藏峰。大藏峰壁高可达千仞，崖顶有数处孔穴，如同织布机上的梭子一般乱七八糟地插放着许多木板。有一只小舟斜着架在这些木板末端，被称作“架壑舟”。四曲的右边是钓鱼台、希真岩两处景观，左边是鸡栖岩、晏仙岩。鸡栖岩半山腰处有一石洞，外面狭窄而内部宽阔，横插着木板，好像是鸡巢中鸡栖息的木桩。岩下有一个水潭，潭水深邃且碧蓝，便是“卧龙潭”。它的右边有大隐屏、接笋峰，左边有更衣台、天柱峰的，便是五曲了。文公书院恰好在大隐屏峰的下面。到达六曲时，看见右边有仙掌岩、天游峰，左边则为晚对峰、响声岩。回头遥望大隐屏、天游峰之间，但见高峻陡峭的石梯和飞檐的斗阁悬于山峰之上，不禁令我神往！但我所乘的小舟由于急流汹涌而不能驶进去，只好返回曹家石停泊。

踏上陆地，进入云窝，排开云彩，穿过石岩，都是在散乱的岩崖中反复寻觅才找到路。云窝的后边是接笋峰。接笋峰并排列附于大隐屏，它的峰腰横向显出分为两截的形态，因此称作“接笋峰”。沿着它侧面的石岩隘口，攀爬上好几级石磴，远望四周，被碧绿的山峦所环绕，中间部分留有一块形似手掌的空地，便是“茶洞”。茶洞口自西入，南面是接笋峰，北面是仙掌岩。仙掌岩东面为天游峰，天游峰的南面便是大隐屏，各座山峰的上部都十分陡峭，下部则又十分紧凑，外边没有石磴路可走，唯独在西面有一道缝隙相通连，比之天台山的明岩更显得奇巧雄健。在山峰中间攀爬，登上大隐屏，到达非常陡峭的山崖，向上的梯子是悬架着的大木头，紧紧贴着岩壁直冲云霄。木梯用三根大木头相接而起，共有八十一级。梯级穷尽，便有铁索横连在山腰上，下边凿有石坎可供游者踏脚。攀扶着铁索朝西面沿着山峰转，两边的岩壁之中有一山脊插在它的中间，仿佛下垂的尾巴，凿有石磴可以供人登高，这就是大隐屏的峰顶。峰顶有亭子、翠竹，四周全是悬崖陡壁，凭空朝下望去，真是仙凡两界相隔甚远啊。仍然自悬架的木梯上下来，到达茶洞。抬头仰望所到的地方，陡峻得好像在天河里。

隘口北边的石崖便是仙掌岩。岩壁耸立溪边，雄峭而又阔展，中间有形如人掌的斑痕，长度超过一丈的就有数十行。沿着山崖自北面攀爬而上，到达岭上，落日的余晖渲染着松林，山光秀美，溪流曲折，互相映衬，十分耐看！朝南转去，在狭窄的山谷中行走。在山谷尽头，突然看见一座山峰的顶部，三面峭壁陡立，峰顶上建有亭子，那便是“天游峰”。天游峰处在九曲溪的中央，但并不濒临溪流，而九曲的溪水自三面环绕着它。向东远望是大王峰，有一曲到三曲的溪水围绕着它。向南眺望是更衣台，南部最接近的是大隐屏等各座山峰，有四曲到六曲的溪水环绕着它们。向西远望是三教峰，西部最靠近的是天壶峰等各座山峰，有七曲到九曲溪流环绕着它们。只有北边没有溪水，而水帘峰等各座山岭重重叠叠延伸而来，到此处中悬。先前我所俯身鸟瞰的地方，是茶洞。自茶洞仰身远眺，但见险峻的岩壁直入云霄，泉水自侧面岩石倾斜而下，一开始并不知道它的上边还有山峰能够游览歇息。如果不亲自到九曲溪而想尽看九曲溪的绝美胜景，这山峰自然应属绝佳之地了。站在峰台上，眺望那半圆形的正在西坠的夕阳，远远近近的无数峰峦，显现出万千青紫景象。峰台的后面便是天游观。我赶忙告辞离去，待返回游船时已经是黄昏了。

二十二日。登上水岸，告别仙掌岩朝西走。我沿着溪水的右岸走，隔着溪流的是左岸。第七曲的右面是三仰峰、天壶峰，左面是城高岩。三仰峰下面是小桃源，崩裂的山崖，错落的岩石堆在外面形成了一道石门。自石门弯着腰进入，有一片地，四周山峦环绕，中间有平整的田畦和弯曲的涧水，苍松翠竹环绕着庭院，鸡鸣、人语之声，在青山中回荡。出门朝西走，便是北廊岩，北廊岩的顶部是天壶峰。它对岸的城高岩高高耸立着，直指云霄，四面的陡壁就像刀削似的，宛如城墙矗立。城高岩的顶部有座庵，也是通过悬架木梯攀登上去，由于隔着溪流而不能去。第八曲的右面是鼓楼岩、鼓子岩，左面是大廪石、海蚱石。我路过鼓楼岩的西面，踅转向北，行走在山坞中，攀爬到顶峰，有两块岩石矗立着如同一面鼓，这即是“鼓子岩”了。鼓子岩的高度和宽度也好似城高岩一样，岩下的深山坳，似一条长廊，修建有房屋，横栏在山坳中，唤作“鼓子庵”。抬头仰望，山岩上散乱的洞穴中有很多木板横插着。转到山岩的后面，中间有一个洞穴既深又宽，唤作“吴公洞”。吴公洞往下的木梯早已毁损，不能攀登。远望三教峰，顺着山路，越过石磴，山野里树木生长得十分繁茂。到达三教峰，有亭子点缀其旁，朝东可远眺鼓楼岩、鼓子岩各处胜景。山顶有三座山峰，石岩骨架高耸，并排直立。自石岩的缝隙踏着石磴往上爬，石岩旁边有一个亭子。穿过亭子进入石门，两崖壁互相对峙，高挺入天，中间只有一线通道，上下也仅有一尺多宽，人在中间行走，顿觉毛骨悚然。大约三座山峰攒簇而立，这是其中两座山峰间的缝隙；侧边还有两道缝隙，却没有如此整

齐壁峭。

之后便下山，转到山的后面，看见一座山峰与猫儿石相互对峙，盘旋延伸像鼓子岩一般，这便是灵峰的“白云洞”。到了峰顶，从石岩的缝隙中拾级而上，两旁峙立的崖壁间隙狭小，和黄山的天门十分相像。走完石级之后，沿着曲曲折折的山径一直通到石岩的下面，依傍着山崖架造房屋，其情形也很像鼓子岩。登上高楼朝南远望，九曲的上游，有片小洲堆在溪水中，溪流自西流来，到此处分流，绕过小洲，到九曲处再汇为一股溪流，小洲的外面有两座山，山势渐渐开阔，到达九曲的尽头。此岩就在九曲的尽头，岩壁层叠回还，甚是清幽雅静。岩北的尽头，有一个岩石特别奇异：上下都是十分陡峭的石壁，石壁间横凹下去的地方只有一线宽，必须伏在地上像蛇一样爬行，绕着石壁翻过去，才能够进入。我就顺着壁凹之处爬行，不大一会儿凹处逐渐低矮，石壁也逐渐险峻，便顺着地势弯下腰弓着背。岩壁凹处越往低越狭小，我便像蛇一般伏身贴地用膝盖爬着前进，到达壁坳转弯的地方，上下悬隔只有七寸，宽度也只有一尺五。壁凹外面岩壁有万仞深，我匍匐而前，胸部和背部与岩石相摩擦，如此盘旋了很长一段时间，才得以穿过那段险要之地。石岩果然高大宽阔而且重重叠叠，其中有斧凿的痕迹，想要开凿道路却又没有完成。过了半晌，返回前岩。又重新回到后岩，刚刚建好的新房舍，很是幽静宽敞，使人喜爱。走出九曲溪便是狮子岩了。

沿着溪流返回，隔着溪水欣赏八曲的人面石，七曲的城高岩，种种美景使人心仪神往。再一次停下游船，自云窝进入茶洞，深远而又幽长曲折，第二次到达此地，使人再也不忍离开！随后便从云窝向左转，进入伏羲洞，洞中十分阴森。自左边出来，便到了大隐屏峰的南面，即紫阳书院，进去拜谒朱熹先生的塑像。小船顺水疾驰，掠过两岸苍翠的山崖，反过来我又埋怨船行走得太迅疾了。之后路过天柱峰、更衣台，在四曲的南岸水边停泊好游船。自御茶园上岸，欲绕路出去，登上金鸡岩顶峰，但杂草丛生、荆棘遍野，令人迷惘找不到道路。便从金鸡岩后边的大路向东行走，希望有岔路能够攀登大藏、小藏诸座山峰。但也没能寻觅到路。穿过山岩来到溪边时，已经置身在玉女峰脚下了。想从此处寻觅一线天，彷徨四顾却没有人可以打听，而游船又停泊在金鸡洞的下边，两者相离很近但却互不相闻。于是顺着溪岸探寻道路，在大藏峰、小藏峰山麓迤逦而行。这一带陡壁高耸，沙石崩塌壅塞，当地的居民在上边种植了很多的茶树。在茶树的枝叶中前进，自岩壁上俯身探望深溪，朝上仰望陡峻的高崖，所谓的“仙学堂”“藏仙窟”等景观，都无暇分辨和欣赏了。

随后到了有架壑舟的地方，抬头观望半悬在空中的架壑舟，十分逼真，比乘游船时看到的更加清楚细致。大藏峰西面的路，逐渐到了尽头。在荆棘杂草中攀附着岩壁向上登。回头俯视大藏峰西面的岩壁，也有一架壑舟，但是因为两座岩壁互相对峙，不能到达那里。突然看见一只游船自二曲逆流而上。赶忙下山招呼船开过来，驾船的人将船划靠在岸，迎接我上船，他原来也是一位刚来此地的游客，邀请我返回更衣台，一起去游赏一线天、虎啸岩等各处名胜。途中经过我乘坐的游船停泊的地方，于是两只船一起顺流而下，计划攀登幔亭峰，寻觅大王峰。到达一曲的水光石，一同约好各自的游船在溪口等待。我便再次上岸，不久到达止止庵。发现庵后有路可上，便加快脚步，到达一石岩，其旁有僧人正在念诵佛经，这便是“禅岩”了。攀登大王峰的路，在止止庵的西边。于是回到止止庵的前面往西转，登山走了二里多路，到达大王峰下，穿过树丛寻找登仙石。登仙石旁山峰突起，呈现出仰首而盼的样子。鹤模石在山峰岩壁的缝隙中，白色翎羽像霜一般，头颈是红色的，而裂纹如同绘上去的图画。旁侧已无路可走，有一木梯悬空架在陡峻的崖壁间，蹬着梯子往上爬，摇摇晃晃的仿佛要掉下来一样。爬完梯子后登上一座山岩，便是张仙遗体的存放处。山岩在山峰的半山腰处，寻找徐仙岩，四围都是石壁而不能通过；走下梯子重新寻觅其他道路，没能找到；想攀登石岩，但全部是峭壁，没有石级可登，走荆棘之路，草莽又深又密不能辨别方向。挑夫走在前面，找到了中断的石磴，大喊说找到了路。我不顾衣服被荆棘乱石划破，迅速跑过去，靠近他，但仍不能往前走。太阳已经西坠，于是便用手抓着荆棘胡乱往下走，待找到道路时已经在万年宫的右边了。快步走进万年宫，里面森严而且宽敞。道士迎着我说："大王峰顶很久以前就不能爬上去了，只有上张仙岩的梯子还保存着，上顶峰的六级梯子和上徐仙岩的梯子全部朽破不堪，徐仙的遗体早已经移到会真庙了。"走出万年宫朝右转，经过会真庙。庙前的大枫树枝叶茂盛，荫庇着好几亩土地，树围也有数十抱粗。向道士告辞后，便回到游船。

二十三日。登上陆地，寻找换骨岩、大帘洞各处胜景。吩咐游船前行十里，在赤石街等候。我自己进入会真观，拜谒武夷君神像以及徐仙的遗体。走出会真庙，沿着幔亭峰东麓，朝北走了二里路，发现幔亭峰后面有三座山峰并排耸立，很是奇异，便询问别人，原来这是"三姑峰"。换骨岩就在三姑峰的旁侧，我望着换骨岩马上走过去。上山有一里多路，就可以看见飞泻而下的流水汩汩往下奔涌。俯身下看，看到高耸的岩壁，泉水自岩壁的半腰处流出，附近有稀疏的竹林相映衬，特别有情致。然而已经登上三姑峰，来不及返回去看了，于是自三姑峰又上行半里，到达换骨岩，换骨岩就是幔亭峰的后崖。换骨岩的前边有一座庵。自换骨岩后边架设的两层悬梯登上另一处悬岩。此悬岩不是十分深邃，围绕着山巅有如叠嶂。当地的居民用木板循着岩壁修造房舍，曲直高下，沿着岩壁蜿蜒而行。顺着岩壁的缝隙攀援而上，快到达幔亭峰峰顶的时候，道路被阻塞，被迫停止前行。返回三姑峰脚下，自峰后绕出来，再照原路下山，便到达以前俯视突泉的地方。自此处翻过山岭，便是通向水帘洞的路了；自此处下行，便是突泉壁了。我以前自上鸟瞰，没能看尽它的妙处，如今再次来到便要好好欣赏了。抬头仰视奔突的泉流，又在半壁之上了，附近有农人引泉水冲动石碓，有梯子架设在岩壁上，凿开岩壁变成水沟来引导泉水。我便沿着梯子爬上岩壁，来到突泉的下边。其坳处只有二丈宽，上下都是高兀耸立的岩壁；泉水自上边的岩壁落入坳中，待充盈后再从坳中向下坠落。坳的上下四周，没有一处不是水，而中部有一块大石头突兀出来，人可以坐在上面。我在石头上坐了很长一段时间，才爬下岩壁沿着竹林中的小径前行，翻过三重山岭，又从山腰处大概行走了将近七里的路途，才到达山坞中。这时我们穿过石门向上走，走了半里路，便到了水帘洞。在这里所看到的是千仞高崖直耸云天，上部的崖峰向外突出而下面的则向内凹嵌进去，泉水从山崖的顶部下落。山岩既雄壮又开阔，泉水也是从非常高险的地方散落下来，形成万千条细小水线，如丝如缕，从半空中悬挂着向下倾泻，真可以称得上是大大的奇观呀！那座山岩高高地直矗而起，且上部向外突兀而出，所以山岩下面修造的房屋虽有重檐，那飞流直下的泉水仍落在房舍的栏杆外面。

先前在途中曾听说睹阁寨怪异险要，道士劝告我仍旧走原路，那样翻过山岭便能到达所要去的地方。于是我听从道士的劝告出了石门。我非常欣赏山坞溪水的美丽绝伦，因为这样使我误走上了去赤石街的路。这时有行人指点我说，从这个地方走过一座小桥向南走，也可以到达。我听后，爬上山进入一道山隘中，山隘的两旁有两座山互相夹峙，里面有山岩、房屋，上面题额写着“杜辖岩”，当地的居民讹称它为

“睹阁寨”。再往前走，又看见一座山岩，有曲槛和悬起的房子，看看赤石街离得非常近。于是我从原路走了三里，渡过一条溪流，再朝前走了一里，到了赤石街的大溪。上了游船吩咐船家扬帆，走了二十里水路，返回崇安。

游庐山日记

【解题】

庐山亦称匡庐，位于江西省北部，高踞长江南岸，东瞰鄱阳湖，是我国著名的旅游风景区之一。

徐霞客于明万历四十六年（戊午）八月十八至二十三日（1618年10月6日至11日）游历庐山。日记对庐山诸山峰和流水做了细致的描摹，是徐霞客游记中的上乘作品。

【原文】

戊午 余同兄雷门、白夫，以八月十八日至九江。易小舟，沿江南入龙开河，二十里，泊李裁缝堰。登陆，五里，过西林寺，至东林寺。寺当庐山之阴，南面庐山，北倚东林山。山不甚高，为庐之外廓。中有大溪，自东而西，驿路界其间，为九江之建昌孔道。寺前临溪，入门为虎溪桥，规模甚大，正殿夷毁，右为三笑堂。

十九日 出寺，循山麓西南行。五里，越广济桥，始舍官道，沿溪东向行。又二里，溪回山合，雾色霏霏如雨。一人立溪口，问之，由此东上为天池大道，南转登石门，为天池寺之侧径。余稔知石门之奇，路险莫能上，遂倩其人为导，约二兄径至天池相待。遂南渡小溪二重，过报国寺，从碧条香蔼中攀陟五里，仰见浓雾中双石屼立，即石门也。一路由石隙而入，复有二石峰对峙。路宛转峰罅，下瞰绝涧诸峰，在铁船峰旁，俱从涧底矗耸直上，离立咫尺，争雄竞秀，而层烟叠翠，澄映四外。其下喷雪奔雷。腾空震荡，耳目为之狂喜。门内对峰倚壁，都结层楼危阙。徽人邹昌明、毕贯之新建精庐，僧容成焚修其间。从庵后小径，复出石门一重，俱从石崖上，上攀下蹑，磴穷则挽藤，藤绝置木梯以上。如是二里，至狮子岩。岩下有静室。越岭，路颇平。再上里许，得大道，即自郡城南来者。历级而登，殿已当前，以雾故不辨。逼之，而朱楹彩栋，则天池寺也，盖毁而新建者。由右庑侧登聚仙亭，亭前一崖突出，下临无地，曰文殊台。出寺，由大道左登披霞亭。亭侧岐路东上山脊，行三里。由此再东二里，为大林寺；由此北折而西，曰白鹿升仙台；北折而东，曰佛手岩。升仙台三面壁立，四旁多乔松，高帝御制周颠仙庙碑在其顶，石亭覆之，制甚古。佛手岩穹然轩峙，深可五六丈，岩端石岐横出，故称“佛手”。循岩侧庵右行，崖石两层，突出深坞，上平下仄，访仙台遗址也。台后石上书“竹林寺”三字。竹林为匡庐幻境，可望不可即；台前风雨中，时时闻钟梵声，故以此当之，时方云雾迷漫，即坞中景亦如海上三山，何论竹林？还出佛手岩，由大路东抵大林寺。寺四面峰环，前抱一溪。溪上树大三人围，非桧非杉，枝头着子累累，传为宝树，来自西域，向有二株，为风雨拔去其一矣。

二十日　晨雾尽收。出天池，趋文殊台。四壁万仞，俯视铁船峰，正可飞舄。山北诸山，伏如聚螘。匡湖洋洋山麓，长江带之，远及天际。因再为石门游，三里，度昨所过险处，至则容成方持贝叶出迎，喜甚，导余历览诸峰。上至神龙宫右，折而下，入神龙宫。奔涧鸣雷，松竹荫映，山峡中奥寂境也。循旧路抵天池下，从岐径东南行十里，升降于层峰幽涧；无径不竹，无阴不松，则金竹坪也。诸峰隐护，幽倍天池，旷则逊之。复南三里，登莲花峰侧，雾复大作。是峰为天池案山，在金竹坪则左翼也。峰顶丛石嶙峋，雾隙中时作窥人态，以雾不及登。

越岭东向二里，至仰天坪，因谋尽汉阳之胜。汉阳为庐山最高顶，此坪则为僧庐之最高者。坪之阴，水俱北流从九江；其阳，水俱南下属南康。余疑坪去汉阳当不远，僧言中隔桃花峰，尚有十里遥。出寺，雾渐解。从山坞西南行，循桃花峰东转，过晒谷石，越岭南下，复上则汉阳峰也。先是遇一僧，谓峰顶无可托宿，宜投慧灯僧舍，因指以路。未至峰顶二里，落照盈山，遂如僧言，东向越岭，转而西南，即汉阳峰之阳也。一径循山，重嶂幽寂，非复人世。里许，蓊然竹丛中得一龛，有僧短发覆额，破衲赤足者，即慧灯也，方挑水磨腐。

竹内僧三四人，衣履揖客，皆慕灯远来者。复有赤脚短发僧从崖间下，问之，乃云南鸡足山僧。灯有徒，结茅于内，其僧历悬崖访之，方返耳。余即拉一僧为导，攀援半里，至其所。石壁峭削，悬梯以度，一茅如慧灯龛。僧本山下民家，亦以慕灯居此。至是而上仰汉阳，下俯绝壁，与世夐隔矣。暝色已合，归宿灯龛。灯煮腐相饷，前指路僧亦至。灯半月一腐，必自己出，必遍及其徒。徒亦自至，来僧其一也。

二十一日 别灯，从龛后小径直跻汉阳峰。攀茅拉棘，二里，至峰顶。南瞰鄱湖，水天浩荡。东瞻湖口，西盼建昌，诸山历历，无不俯首失恃。惟北面之桃花峰，铮铮比肩，然昂霄逼汉，此其最矣。下山二里，循旧路，向五老峰。汉阳、五老，俱匡庐南面之山，如两角相向，而犁头尖界于中，退于后，故两峰相望甚近。而路必仍至金竹坪，绕犁头尖后，出其左胁，北转始达五老峰，自汉阳计之，且三十里。余始至岭角，望峰顶坦夷，莫详五老面目。及至峰顶，风高水绝，寂无居者。因遍历五老峰，始知是山之阴，一冈连属；阳则山从绝顶平剖，列为五枝，凭空下坠者万仞，外无重冈叠嶂之蔽，际目甚宽。然彼此相望，则五峰排列自掩，一览不能兼收；惟登一峰，则两旁无底。峰峰各奇不少让，真雄旷之极观也！

仍下二里，至岭角。北行山坞中，里许，入方

广寺，为五老新刹。僧知觉甚稔三叠之胜，言道路极艰，促余速行。北行一里，路穷，渡涧。随涧东西行，鸣流下注乱石，两山夹之，丛竹修枝，郁葱上下，时时仰见飞石，突缀其间，转入转佳。既而涧旁路亦穷，从涧中乱石行，圆者滑足，尖者刺履。如是三里，得绿水潭。一泓深碧，怒流倾泻于上，流者喷雪，停者毓黛。又里许，为大绿水潭。水势至此将堕，大倍之，怒亦益甚。潭有峭壁乱耸，回互逼立，下瞰无底，但闻轰雷倒峡之声，心怖目眩，泉不知从何坠去也。于是涧中路亦穷，乃西向登峰。峰前石台鹊起，四瞰层壁，阴森逼侧。泉为所蔽，不得见，必至对面峭壁间，方能全收其胜。乃循山冈，从北东转。二里，出对崖，下瞰，则一级、二级、三级之泉，始依次悉见。其坞中一壁，有洞如门者二，僧辄指为竹林寺门云。顷之，北风自湖口吹上，寒生粟起，急返旧路，至绿水潭。详观之，上有洞翕然下坠。僧引入其中，曰："此亦竹林寺三门之一。"然洞本石罅夹起，内横通如"十"字，南北通明，西入似无底止。出，溯溪而行，抵方广，已昏黑。

二十二日 出寺，南渡溪，抵犁头尖之阳。东转下山，十里，至楞伽院侧。遥望山左胁，一瀑从空飞坠，环映青紫，夭矫滉漾，亦一雄观。五里，过栖贤寺，山势至此始就平。以急于三峡涧，未之入。里许，至三峡涧。涧石夹立成峡，怒流冲激而来，为峡所束，回奔倒涌，轰振山谷。桥悬两崖石上，俯瞰深峡中，迸珠戛玉。过桥，从岐路东向，越岭趋白鹿洞。路皆出五老峰之阳，山田高下，点错民居。横历坡陀，仰望排嶂者三里，直入峰下，为白鹤观。又东北行三里，抵白鹿洞，亦五老峰前一山坞也。环山带溪，乔松错落。出洞，由大道行，为开先道。盖庐山形势，犁头尖居中而少逊，栖贤寺实中处焉；五老左突，下即白鹿洞；右峙者，则鹤鸣峰也，开先寺当其前。于是西向循山，横过白鹿、栖贤之大道，十五里，经万松寺，陟一岭而下，山寺巍然南向者，则开先寺也。从殿后登楼眺瀑，一缕垂垂，尚在五里外，半为山树所翳，倾泻之势，不及楞伽道中所见。惟双剑崭崭众峰间，有芙蓉插天之态；香炉一峰，直山头圆阜耳。从楼侧西下壑，涧流铿然泻出峡石，即瀑布下流也。瀑布至此，反隐不复见，而峡水汇为龙潭，澄映心目。坐石久之，四山暝色，返宿于殿西之鹤峰堂。

二十三日　由寺后侧径登山。越涧盘岭，宛转山半。隔峰复见一瀑，并挂瀑布之东，即马尾泉也。五里，攀一尖峰，绝顶为文殊台。孤峰拔起，四望无倚，顶有文殊塔。对崖削立万仞，瀑布轰轰下坠，与台仅隔一涧，自巅至底，一目殆无不尽。不登此台，不悉此瀑之胜。下台，循山冈西北溯溪，即瀑布上流也。一径忽入，山回谷抱，则黄岩寺据双剑峰下。越涧再上，得黄石岩。岩石飞突，平覆如砥。岩侧茅阁方丈，幽雅出尘。阁外修竹数竿，拂群峰而上，与山花霜叶，映配峰际。鄱湖一点，正当窗牖。纵步溪石间，观断崖夹壁之胜。仍饭开先，遂别去。

【今译】

戊午（万历四十六年，1618年）八月十八日那天，我和族兄雷门、白夫到了九江。换乘小船而行，顺着长江向南航行，驶进龙开河，航行二十里，把船停泊在一处叫李裁缝堰的地方。登陆以后，又走了五里，经过西林寺，又到了东林寺。东林寺正好在庐山的北面，南面对着庐山，北边倚靠着东林山。东林山并不是很高，它只是庐山的外廓。山的中间有一条大溪，从东向西流去，中间有驿路作为界址，是九江到建昌的交通要冲。东林寺的前门临着溪水，一进山门就是虎溪桥，它的规模非常大，正殿已经毁损成了平地，右边是三笑堂。

十九日。走出东林寺，沿着山麓朝西南方向前行。走五里山路，过广济桥，不再走官道，顺着溪水朝东行走。又走了两里，溪水迂回蜿蜒、山峦四围重合，这时的雾气很浓，仿佛下着绵绵细雨。有一个人站在溪口，我们向他打听道路，得知从此处朝东上山就是天池大路，向南拐个弯，转而登上石门，就到了天池寺侧面的小路了。我非常熟悉石门风景的奇特瑰丽，知道道路非常艰险，很难攀登上去，于是我们雇请那个人做我们的向导，我也与我的二位兄长约好在天池寺等着。于是向南走，渡过了两条溪水，经过报国寺，在绿树香雾中攀爬了五里山路，抬头仰望浓雾中有一对石峰高高矗立着，那便是“石门”。一路上从石岩缝隙中进去，又有两座石峰高耸兀立、互相对峙。小路就在石峰的缝隙中蜿蜒曲折，俯视陡峭山涧旁的那些山峰，在铁船峰附近的，都自山涧的底部高耸矗立而直指云天，并立的山峰相距不过咫尺，争雄竞秀，重重烟云在重重叠叠的翠峰之间缭绕盘旋，澄映在四面山峦之外。山峰下面的湖水汹涌奔腾，浪花飞溅像喷雪一样，轰响之声像打雷一般。涧水腾空起伏，震荡山谷，人的眼睛、耳朵也因为这样绝丽的景致而狂喜。石门内对立的双峰倚靠着岩壁，全都修造有层楼高屋。徽州人邹昌明、毕贯之新近修造了精庐，僧人容成在里面焚香斋醮。自庵后的小路，走过一道石门，全部是顺着石崖上上下下地攀爬，没有石磴就用手挽着树藤攀援，完全没有藤条的地方则安置有木梯登上去。这样行了二里路，到了狮子岩。狮子岩下筑有静室。翻过山岭，道路非常平坦。再向上行了一里多路，就是大道，是由郡城南面来的那条路。经过石阶向上走，一座大殿呈现在我眼前，雾气浓厚从远处不易分辨。走近它时，只看见红色的柱子、彩绘的栋梁，这便是“天池寺”，大概是损坏后重新修建起来的。自右边的廊房侧旁登上聚仙亭，亭前有一座山崖向外突兀而出，朝下看时则看不到地面，叫做“文殊台”。走出天池寺，自大道的左面登上披霞亭。自披霞亭的侧面岔路向东攀上山脊，行走约三里的路程。由此处朝东再行二里，便是“大林寺”了；从此处转向北面折往西，唤作“白鹿升仙台”；转向北面折往东，是“佛手岩”。白鹿升仙台的三面山崖陡立，四旁有许多高大的松树，高皇帝(朱元璋)御制的《周颠仙庙碑》就在山崖顶上，一石亭覆盖着它，其形制很古朴。佛手岩穹隆且高高直耸着，距地面深度有五六丈，崖前的岩石横岔朝前突出，因此叫作“佛手”。沿着佛手岩侧面之庵朝右走，山崖的岩石有两层，自深坞中突兀而出，上面的一层平坦而下面的一层狭窄，这是访仙台遗址。访仙台的岩石上写有“竹林寺”三个大字。竹林寺是庐山的梦幻境地，只能观望却不能到达；每当风雨之时在访仙台的前面，常常能够听见佛寺的钟声和敬佛诵经之声，因此唤作“访仙台”。当时正好云雾弥漫，即便是山坞中的景色也如海上蓬莱、方丈、瀛洲三座仙山一般，又何必再说成是竹林寺呢？返回走出佛手岩，自大道往东走抵达大林寺。大林寺四面山峰拱卫，前面有一条溪流环绕着它。岸上有一棵需三人合抱的大树，不像桧树也不像杉树，树的枝头硕果累累，传说这是一棵宝树，原产西域，先前有两棵，其中的一棵被暴风雨摧毁了。

二十日。清早时弥漫的雾气全部收敛、散去了。走出天池寺，直奔文殊台，四周的崖壁有万仞之高，俯下身子观看铁船峰，如同一只飞行的仙鞋。山北面的各座峰峦，低矮得如同聚攒在一起的蚂蚁群。鄱阳湖在山下，一片汪洋，长江如同一条衣带，远远地流向天边。由此作第二次石门之游，走了三里，越过昨日所走的险峻之处，到达时僧人容成正手持贝叶佛经出来相迎。他非常高兴，带领着我们一一游览了众山峰。往上行到神龙宫的右边，转身朝下走，进入神龙宫。奔流的涧水仿佛雷鸣一般，松树竹林互相荫映，这真是山峡中奥秘而又静寂的境域呀。顺着旧路一直抵达天池寺下面。自岔路朝东南方行走十里，在层层叠叠的山峰和幽静深远的山洞中上上下下，没有哪一条路上没有竹林，没有哪一处北坡上没有松树的，这便是金竹坪了。众山峰隐隐相掩，其幽静胜于天池寺，而宽阔却稍逊于天池寺。又往南行走了三里，登上莲花峰的侧面，雾气再一次大肆弥漫。莲花峰是天池寺的界山，对金竹坪来说可以说是左翼。峰顶上乱石嶙峋，在雾气的空隙中不时做出窥视人的神态，因为浓雾弥漫而未能攀登峰顶。

翻过山岭向东走了二里，到达仰天坪，计划游赏汉阳峰的全部胜景。汉阳峰是庐山的最高顶，仰天坪则是僧人庐舍的最高处。在仰天坪的北部，溪水向北流往九江；在仰天坪的南部，溪水都向南流往南康。我想仰天坪距离汉阳峰应该不会很远，僧人们则说其中间隔着桃花峰，还有十里路之遥。走出寺门，浓雾渐渐散开了。从山坞的西南方向走，沿着桃花峰向东拐，经过晒谷石，又翻过山岭朝南走下去，再往上走便是汉阳峰了。我们起先遇到一位僧人，他说汉阳峰顶部没有可以投宿的处所，最好到慧灯和尚的僧舍去投宿，并且给我们指点道路。距离峰顶约二里时，夕阳的余晖映满山峰，于是按照僧人指点的，向东越过山岭，转而向西南方向走，就是汉阳峰的南面了。有一条小路顺着山延伸开，层峦叠嶂幽静而寂寥，好像不再是人间了。又走了一里多路，便在繁盛的竹林丛中发现了一间供着佛像的小屋舍，有一位僧人，短发盖住前额，身着破烂的僧衣，打着赤脚，这便是慧灯和尚，他正在挑水磨豆腐。竹林中还有三四个和尚，身着整洁的衣鞋，十分礼貌地招待我们，他们都是仰慕慧灯和尚而从远处来的。又有赤脚短发和尚从山崖间走下来，问他，原来是云南鸡足山的和尚。慧灯有弟子，在山里修造茅屋，这位和尚走过悬崖去拜访他，刚返回。我就拉一位和尚做向导，攀爬了半里山路，到慧灯徒弟的住所。石壁陡峻笔削，架悬梯渡过去，一间茅屋如同慧灯和尚的那间小屋舍。这和尚本是山下的百姓人家，也是因为仰慕慧灯和尚而居住在此。到了这里向上仰望汉阳峰，往下俯视悬崖绝壁，真的是与人世间远远相隔了。夜色已经笼罩大地，返归慧灯的小屋歇宿。慧灯和尚煮好豆腐款待我，先前指点我道路的那个和尚也赶到了。慧灯和尚每半个月都要磨一次豆腐，一定由自己亲自制作，也一定要款待他所有徒弟。他的徒弟们也都来吃，来的和尚就是其中的一位。

二十一日。辞别了慧灯和尚，由小屋后的小路直接攀登汉阳峰。攀援茅草，拉开荆棘，朝上攀爬了二里，到达汉阳峰的顶部。自南面鸟瞰鄱阳湖，浩浩荡荡的湖水好像和苍天相连。东面远望湖口县，西面遥看建昌，各座山峰历历在目，没有哪一座山不像是失去了倚仗一样低头服输。只有北面的桃花峰，是诸山峰中的佼佼者，仍可与汉阳峰比个高低，它昂然挺立逼近云霄，这是它的最美之处。下山又行了二里，沿着旧路，向五老峰进发。汉阳峰、五老峰，全是庐山南面的山峰，仿佛相对立的两角，而犁头尖则介入两者之间，退到后面，因此两座山峰望上去很近。但仍须到金竹坪，绕过犁头尖的后边，从它的左侧出来，向北转才能到达五老峰，从汉阳峰开始计算路程，已经有三十里了。我刚刚到达岭角，远远望去，峰顶非常平坦，并不能十分清楚地看到五老峰的真面目。待到峰顶，山风异常猛烈且没有流水，空静寂寥又没有人居住，游遍五老峰，才明白这座山的北面，一冈相互连属；南边自山的绝顶之处平剖而开，分成了五支，自空中下坠万仞，十分险要，这之外再也没有重峦叠嶂之类的遮掩蔽盖了，视野非常开阔。然而五座山峰并排成一线，互相遮掩，一眼望去不能全尽；只能够登上一峰，然而山峰的两侧又似乎深不见底。座座山峰各有奇观险景且彼此毫不逊色，真是雄伟壮观的景象呀！

依然下山，二里路之后到达岭角。在山坞中朝北去，大概一里路后，进入方广寺，方广寺是五老峰新近修建的佛寺。知觉和尚非常熟悉三叠泉瀑布胜景，说是道路非常难走，催促我赶快上路。向北行进了一里，道路到了尽头，于是渡过涧水。顺着涧水朝东西方向走，流水哗啦哗啦地往下注入乱石中，两侧有山峰夹峙，茂盛的丛竹和修长的树枝郁郁葱葱，抬头不时可见露出的岩石，像在绿海中飞动，点缀山间，越深入胜景越是美不胜收。接着涧水岸边的道路也到了尽头，只好踏着涧中的乱石向前行走，圆的石头非常滑脚，而尖的石头则又刺破鞋子。就像这样朝前走了三里，发现了绿水潭。一泓深邃的碧水，上面有汹涌澎湃的涧流倾泻而下，奔腾的流水好似喷雪般飞溅起阵阵洁白的水花，停留在潭中的水则是深青色的。又走过一里多山路，便是大绿水潭。流水到此处将要下坠，其流量比先前的要大上一倍，水势汹涌。水潭前面的峭壁不规则地直立着，相互逼近峙立，俯身鸟瞰则深不见底，只听到一阵轰雷般的仿佛要震倒峡谷的响声，心里很恐惧且眼也昏花了，不晓得泉水向什么地方坠去了。到这时涧中的路也到了尽头，于是向西攀爬山峰。峰前的石台顺势崛起，俯看四围层层叠叠的崖壁，阴森而狭窄。泉水被崖石掩蔽了，没办法看到，必须要到对面的陡壁去，才能看清楚它的全部胜状。于是便顺着山冈，自北向东转。二里路之后，行到对面的峭壁上，往下俯瞰，则为第一级、第二级、第三

级的流泉情景，这时才得以完全看清楚。那山坞中的一个崖壁上，有像门大小的两个洞口，知觉和尚指着它说是竹林寺的大门。过了一会儿，北风自湖口吹上来，十分寒冷，令人皮肤生起粟粒，赶忙返回原路，到达绿水潭。仔细观察绿水潭，看见上面有个洞敛缩着朝下坠落。知觉和尚便引领着我进入其中，说："这也是竹林寺三门之一。"此洞原本是由石缝隙相夹而成的，内部横通像"十"字，南北通明透亮，往西走好像没有止境。出洞后，顺着溪岸行走，到达方广寺时，天已经黑了。

二十二日。出方广寺，自南面渡过溪水，直到犁头尖的南面。向东拐下山去，走十里，到了楞伽院的侧面。远望山峰左侧的半腰，一条瀑布自空中飞坠而下，环顾映衬出四围的青青紫紫，屈曲飞溅的态势，也算是一道壮丽的景观。走五里，途经栖贤寺，山势到这里开始平缓。因我急着去三峡涧，没有进去。又走了一里多路，便到了三峡涧。涧由石壁夹立而形成峡口，汹涌奔腾的水流冲泻而出，但被峡口约束住，奔泻而又回旋着，汹涌激荡，轰鸣声震彻山谷。一桥悬架在两边山崖的岩石上，从桥上探身俯视深峡，激荡的流水形似珠溅，声如击玉。过桥后，自岔路朝东，翻越山岭直奔白鹿洞。道路全部出自五老峰的南面，山上的田地高低不一，民居也错落分布。横行经过的路很不平坦，抬头仰望层层叠叠的山峦还有三里路，直接进入山峰的下面，便是白鹤观了。又朝东北方向行走了三里路，抵达白鹿洞，白鹿洞也是五老峰前的一处山坞。环绕山峰的溪水好似一条腰带，高大挺拔的松树错落山间。走出白鹿洞，由大道往上行走，便是通向开先寺的道路。庐山大概的地势形态，犁头尖处于中间而又稍微偏出一些，栖贤寺实际上恰好在中间地带，五老峰向左突兀而出，它的下面便是白鹿洞了；右边屹立的是鹤鸣峰，开先寺正当其前。朝西顺着山势，横越过通往白鹿洞、栖贤寺的大道，走约十五里路程，经过万松寺，登上一岭后便下山，巍然南向的那座山寺，便是开先寺了。在大殿的后面登楼遥望瀑布，有一缕垂垂向下的水帘，还在五里之外，一半被山树所遮掩，倾泻而下的态势，尚不及楞伽道中所见的壮丽。只有那双剑峰在众山峰之中，显得十分高峻陡险且有芙蓉插天的气势；香炉峰那一座山峰，挺直而山头形成圆形的土包。自楼侧朝西走下山沟，涧溪的流水铿然地奔泻出峡石口，这便是瀑布的下流。瀑布到了这里，反而隐蔽得看不见了，而峡石口的流水汇合成龙潭，清澈得能映射出人的心境和眼睛。坐在石头上很长时间，四山都已沉入夜色，才返回到殿西的鹤峰堂歇宿。

二十三日。由开先寺后面的岔道登山，翻过溪涧，在半山中蜿蜒前行。隔着山峰又发现另一条瀑布，一并挂在瀑布东边的，是马尾泉。走过五里山路，登上一座尖尖的山峰，绝顶为文殊台。一座孤峰拔地而起，四周望去，没有相倚的地方，顶部有文殊塔。对面的那座山崖如刀削般峭立，高达万仞，这里的瀑布发出轰鸣声向下坠落，和文殊台仅仅隔着一个山涧，从悬崖的山巅到底部，一眼望去，几乎看不到尽头。不攀登文殊台，就不能完全了解这个瀑布的绝妙之处。下了文殊台，我们顺着山冈的西北面溯溪而行，这便是瀑布的上游了。这时突然出现了一条小路，山回谷拥，黄岩寺正盘踞在双剑峰的下面。我们翻过溪涧再向上攀援，到达黄石岩。黄石岩的岩石有的奇特怪异、突兀而生，有的平覆着好似磨刀石一样。石岩侧面的茅草阁一丈见方，幽致雅静，远离尘世的凡气。阁外有几竿修竹，在群峰上轻微微地摆动着，和山上的那些花草、霜叶，辉映相配在山峰之间。眺望鄱阳湖的一点，正好对着窗户。我们放开步伐在溪涧、岩石之间尽兴地游玩，观赏着断崖夹壁的胜景。依然在开先寺用饭，饭后我们便告辞了。

游黄山日记(后)

【解题】

这是徐霞客第二次游黄山的日记,时在明万历四十六年(戊午)九月初三至初六(1618 年 10 月 20 日至 23 日)。

徐霞客第一次游黄山时,因大雨阻碍,没能登上天都峰、莲花峰这两处具有代表性的景观。此次他为了却夙愿再来黄山,加之气候适宜,心情舒畅,比上次游得更加用心,表现在文字上,就是对爬山历险的过程描绘得更加细致具体,对壮美山色更加充满激情。

【原文】

戊午九月初三日 出白岳榔梅庵,至桃源桥。从小桥右下,陡甚,即旧向黄山路也。七十里,宿江村。

初四日 十五里,至汤口。五里,至汤寺,浴于汤池。扶杖望硃砂庵而登。十里,上黄泥冈。向时云里诸峰,渐渐透出,亦渐渐落吾杖底。转入石门,越天都之胁而下,则天都、莲花二顶,俱秀出天半,路旁一岐东上,乃昔所未至者,遂前趋直上,几达天都侧。复北上,行石罅中。石峰片片夹起;路宛转石间,塞者凿之,陡者级之,断者架木通之,悬者植梯接之。下瞰峭壑阴森,枫松相间,五色纷披,灿若图绣。因念黄山当生平奇览，而有奇若此，前未一探，兹游快且愧矣！

时夫仆俱阻险行后，余亦停弗上；乃一路奇景，不觉引余独往。既登峰头，一庵翼然，为文殊院，亦余昔年欲登未登者。左天都，右莲花，背倚玉屏风，两峰秀色，俱可手擥。四顾奇峰错列，众壑纵横，真黄山绝胜处！非再至，焉知其奇若此？遇游僧澄源至，兴甚勇。时已过午，奴辈适至。立庵前，指点两峰。庵僧谓："天都虽近而无路，莲花可登而路遥。只宜近盼天都，明日登莲顶。"余不从，决意游天都。挟澄源、奴子仍下峡路。至天都侧，从流石蛇行而上。攀草牵棘，石块丛起则历块，石崖侧削则援崖。每至手足无可着处，澄源必先登垂接。每念上既如此，下何以堪？终亦不顾。历险数次，遂达峰顶。惟一石顶壁起犹数十丈，澄源寻视其侧，得级，挟予以登。万峰无不下伏，独莲花与抗耳。时浓雾半作半止，每一阵至，则对面不见。眺莲花诸峰，多在雾中。独上天都，予至其前，则雾徙于后；予越其右，则雾出于左。其松犹有曲挺纵横者；柏虽大干如臂，无不平贴石上，如苔藓然。山高风巨，雾气去来无定。下盼诸峰，时出为碧峤，时没为银海。再眺山下，则日光晶晶，别一区宇也。日渐暮，遂前其足，手向后据地，坐而下脱。至险绝处，澄源并肩手相接。度险，下至山坳，暝色已合。复从峡度栈以上，止文殊院。

初五日 平明，从天都峰坳中北下二里，石壁岈然。其下莲花洞正与前坑石笋对峙，一坞幽然。别澄源，下山至前岐路侧，向莲花峰而趋。一路沿危壁西行，凡再降升，将下百步云梯，有路可直跻莲花峰。既陟而磴绝，疑而复下。隔峰一僧高呼曰："此正莲花道也！"乃从石坡侧度石隙。径小而峻，峰顶皆巨石鼎峙，中空如室。从其中叠级直上，级穷洞转，屈曲奇诡，如下上楼阁中，忘其峻出天表也。一里得茅庐，倚石罅中。方徘徊欲升，则前呼道之僧至矣，僧号凌虚，结茅于此者，遂与把臂陟顶。顶上一石，悬隔二丈，僧取梯以度。其巅廓然，四望空碧，即天都亦俯首矣。盖是峰居黄山之中，独出诸峰上，四面岩壁环耸，遇朝阳霁色，鲜映层发，令人狂叫欲舞。

久之，返茅庵，凌虚出粥相饷，啜一盂，乃下。至岐路侧，过大悲顶，上天门。三里，至炼丹台。循台嘴而下，观玉屏风、三海门诸峰，悉从深坞中壁立起。其丹台一冈中垂，颇无奇峻，惟瞰翠微之背，坞中峰峦错耸，上下周映，非此不尽瞻眺之奇耳。还过平天矼，下后海，入智空庵，别焉。三里，下狮子林，趋石笋矼，至向年所登尖峰上。倚松而坐，瞰坞中峰石回攒，藻缋满眼，始觉匡庐、石门，或具一体，或缺一面，不若此之闳博富丽也！久之，上接引崖，下眺坞中，阴阴觉有异。复至冈上尖峰侧，践流石，援棘草，随坑而下，愈下

愈深，诸峰自相掩蔽，不能一目尽也。日暮，返狮子林。

初六日　别霞光，从山坑向丞相原下七里，至白沙岭，霞光复至。因余欲观牌楼石，恐白沙庵无指者，追来为导。遂同上岭，指岭右隔坡，有石丛立，下分上并，即牌楼石也。余欲逾坑溯涧，直造其下。僧谓："棘迷路绝，必不能行。若从坑直下丞相原，不必复上此岭；若欲从仙灯而往，不若即由此岭东向。"余从之，循岭脊行。岭横亘天都、莲花之北，狭甚，旁不容足，南北皆崇峰夹映。岭尽北下，仰瞻右峰罗汉石，圆头秃顶，俨然二僧也。下至坑中，逾涧以上，共四里，登仙灯洞。洞南向，正对天都之阴。僧架阁连板于外，而内犹穹然，天趣未尽刊也。复南下三里，过丞相原，山间一夹地耳。其庵颇整，四顾无奇，竟不入。复南向循山腰行，五里，渐下。涧中泉声沸然，从石间九级下泻，每级一下有潭渊碧，所谓九龙潭也。

黄山无悬流飞瀑，惟此耳。又下五里，过苦竹滩，转循太平县路，向东北行。

【今译】

戊午年九月初三日。我从白岳山榔梅庵出来，到桃源桥。顺着小桥右侧下山，路很陡，就是上次去黄山所走的路。行程七十里，在江村住宿。

初四日。行十五里，到汤口。又走五里，到达汤寺，在汤池沐浴。我手拄拐杖面对着硃砂庵攀登。十里，登上黄泥冈。刚才云雾笼罩的群峰渐渐显露出来，也渐渐在我脚下。转进石门，从天都峰侧面穿越而下，天都、莲花两座峰顶，都秀丽地耸立在空中。路边有一条岔路往东延伸，我上次游山时没走过此路，于是往前顺岔路直上，几乎到达天都峰侧面。又北上，在石缝中穿行。片片石峰夹路而立，小径在石峰之间弯来转去，阻塞的地方被凿开，陡峭的地方修有石级，断裂的地方搭上木桥，悬空的地方安置梯子连接。往下俯瞰，壑谷峻峭、阴森恐怖，枫树和松树相互夹杂，五彩缤纷、灿烂得像图画、锦绣一样。想到黄山应是生平所见的奇景，却还有如此奇异的景致，上次没能探寻，游得匆忙真是惭愧啊！

这时仆人都因山路险阻而落在后面，我也停下来不再朝上走；但一路的奇景，不知不觉地吸引我独自前往。登上峰顶后，一座寺庙如飞鸟张翅，叫"文殊院"，也是我前年想到而未到的地方。左依天都峰，右挨莲花峰，背靠玉屏峰，莲花、天都两侧的秀美山色，近得似乎可以伸手揽住。环顾四周，这些奇特的山峰高低不同，错落排列着，壑谷众多且纵横交叉，真是黄山绝妙胜景的所在。如果不是第二次来，哪会知道黄山竟有如此奇妙的景色呢？在峰顶巧遇云游僧人澄源，于是游兴高涨。过了中午，仆人们才赶到。我站在文殊院前，指点着天都、莲花两峰。庵中僧人说："天都峰虽然离得近，却没有路上去；莲花峰有路上去，路程却很远。只宜从近处观赏天都峰，明天攀登莲花峰。"我不听，决心游览天都峰。和澄源、仆人等一起从原路下到峡谷。在天都峰侧顺着流石蜿蜒而上。我们抓住荆棘，越过石堆，爬过陡峭的山崖。每当遇到手脚无着落之处，必是澄源先爬上去再伸手拉我。想到上去已经如此艰难，那怎么下来呢？也顾不了那么多了。历经千辛万苦，终于登上了天都峰顶。只见一块数十丈的岩石高耸着，澄源在岩石旁边找到了石级，便扶持我攀上去。周围万座山峰无一不低伏在脚下，唯独莲花峰能与之对衡。此时浓雾忽起忽止，每当一阵浓雾飘来，就是对面也看不见。眺望莲花诸峰，大多笼罩在云雾之中。只有在天都峰上，我走到前面，云雾就落在身后；我到右侧，云雾便从左侧升起。山顶上松树横枝弯曲、主干挺拔；柏树的枝干虽然粗如手臂，却全都平贴在岩石上，像苔藓一样。山高风大，雾气来去不定。往下看，群峰有时露出碧绿色的尖顶，有时又淹没在银色的云海中。再眺望山下，则阳光明媚，真是另外一个世界。夜色渐渐临近，于是下山。我们坐在地上，脚向前伸着，手在后扣着地面，就这样往下滑行。滑到最险要的地方，澄源便肩手并用地接住我。穿过惊险地段，下到山坳时，暮色已经降临。又顺着峡谷越过栈道上去，到文殊院住宿。

初五日。天刚亮，从天都峰山坳中往北下行二里，石壁森严。壁下的莲花洞和洞前的石笋对峙，整个小山坞十分幽雅。和澄源告别后下山，来到昨天有岔道的地方，向莲花峰奔去。一路上沿陡壁往西行，一共两上两下，快要下到百步云梯时，就有路可以直登莲花峰。向上攀登不久，石阶就没了，于是疑惑地往下走。隔壁山峰上一位僧人高呼道："这正是上莲花峰的路！"于是从石坡旁边穿越石缝。山路狭窄而陡峭，峰顶上巨石鼎立，巨石之间的空隙犹如房间，从其中层叠的石阶直上，尽头处转向山洞，弯弯曲曲，非常奇异，如同在楼阁中上上下下，忘却了这里地势高峻。走了一里，见一茅屋傍靠在石缝间。正犹豫着想再往上登，先前高呼的僧人来了。僧人法号凌虚，是盖此茅屋的人，于是和凌虚手挽手，共同攀登顶峰。顶上一块巨石，隔开二丈宽，僧人取来梯子才得过去。莲花峰顶十分开阔，环顾四周澄碧的天空，即使天都峰也俯首屈居了。莲花峰大体上位于黄山正中，高于众峰，四面岩壁环抱耸立，遇上云雾散尽、朝阳当空的晴朗天气，层层山峦映照，焕发着清新的色彩，景致美得叫人惊叹。

过了很久，返回茅屋，凌虚端出粥来款待我，喝了一碗后下山。走到岔路边，经过大悲顶，登上天门。走了三里，又到炼丹台，沿着台嘴下去，看到玉屏峰、三海门等众山峰，全都从深谷中拔立而起。炼丹台居中不是很高，也不奇异险峻，只是俯视青山之背，山谷中峰峦交错，相互映衬，不在这里就不能尽情眺望这些奇景。返回的路上经过平天矼，下到后海，进入智空僧人的庵中，和智空告别。行三里，到狮子林，朝石笋矼奔去，来到前年登过的尖峰上。傍靠松树坐下，俯瞰山谷，峰石环绕簇拥，彩画般的景色尽收眼底，才觉得庐山、石门有的只是一种景致，有的欠缺某一方面，都不如这里宏大、广博、丰富和壮丽！坐了一阵，登上接引崖，往下朝坞中眺望。山坞阴森，让人觉得不同寻常。又来到冈上尖峰侧边，踩着流石，拉着荆棘杂草，顺坑而下，愈下愈深，群峰互相掩蔽，不能一目了然。太阳落山时，返回狮子林。

初六日，和霞光告别，从山坑去丞相原，往下走七里，到白沙岭，霞光又追来了。因为我想去游览牌楼石，霞光担心白沙庵没人指路，追来为我做向导。于是一同登白沙岭，霞光指着岭右边的山坡，只见坡上丛石耸立，这些丛石下部分离、上部并连，这就是牌楼石。我想越过坑谷，溯涧沟而上，直达牌楼石下。霞光说：“那里荆棘遍布，根本没有路，肯定不能走。如果顺着坑谷直下丞相原，不必再登白沙岭；如果想从仙灯洞前往，不如就沿白沙岭往东走。”我听从他的话，沿着岭脊走。白沙岭横贯在天都峰、莲花峰的北面，十分狭窄，旁侧无法行走，南北都有高大的山峰夹峙映衬。走完白沙岭后往北走，抬头看右边的罗汉石峰，圆头秃顶，像两位僧人。下到坑谷中，越过沟涧，一共走四里，登上仙灯洞。洞口朝南，正对天都峰的北面。僧人在洞外架起木板和洞相连，洞壁高拱，自然景观没有被完全破坏。又往南下三里，经过丞相原。丞相原是山中一块狭小的平地。这里的庵堂很工整，四下望去没有奇特之处，我也就没进去。又往南沿山腰行走了五里，慢慢下山。涧中泉水沸腾，泉水从岩石中分九级往下泻，每一级飞泉下面都有碧绿的深潭，这就是“九龙潭”。黄山中没有飞流的瀑布，唯一的一处便是这里。又走了五里，经过苦竹滩，转到去太平县的路，往东北行去。

游嵩山日记

【解题】

嵩山又名嵩高、玄岳、崇山，位于河南省中部，与泰山、华山、恒山、衡山共称五岳，嵩山为中岳，其主体在河南省登封市境内，由太室山和少室山组成，东西绵延约 60 余公里。嵩山的名胜古迹有嵩岳寺塔、嵩山三阙、观星台、少林寺、初祖庵等数十处，是国家著名的风景名胜区。

徐霞客于明天启三年（癸亥）二月十九日抵达嵩山脚下的登封县耿店，二十日开始登山，二十四日下山（1623 年 3 月 20 日至 24 日），历时 5 天，对嵩山的山和水作了颇为细致的考察，全文曲折有致，语言生动活泼。二十五日顺道游览了伊阙，参观了龙门石窟，并作了简要记叙。

【原文】

余髫年蓄五岳志，而玄岳出五岳上，慕尤切。久拟历襄、郧，扪太华，由剑阁连云栈，为峨眉先导；而母老志移，不得不先事太和，犹属有方之游。第沿江溯流，旷日持久，不若陆行舟返，为时较速。乃陆行汝、邓间，路与陕、汴略相当，可以兼尽嵩、华，朝宗太岳。遂以癸亥仲春朔，决策从嵩岳道始。凡十九日，抵河南郑州之黄宗店。由店右登石坡，看圣僧池。清泉一涵，停碧山半。山下深涧交叠，涸无滴水。下坡行涧底，随香炉山曲折南行。山形三尖如覆鼎，众山环之，秀色娟娟媚人。涧底乱石一壑，作紫玉色。两崖石壁宛转，色较缜润；想清流汪注时，喷珠泄黛，当更何如也！十里，登石佛岭。又五里，入密县界，望嵩山尚在六十里外。从岐路东南二十五里，过密县，抵天仙院。院祀天仙，黄帝之三女也。白松在祠后中庭，相传三女蜕骨其下。松大四人抱，一本三干，鼎耸霄汉，肤如凝脂，洁逾傅粉，蟠枝虬曲，绿鬣舞风，昂然玉立半空，洵奇观也！周以石栏。一轩临北，轩中题咏绝盛。徘徊久之，下观滴水。涧到此忽下跌，一崖上覆，水滴历其下。还密，仍抵西门。三十五里，入登封界，曰耿店。南向石淙道，遂税驾焉。

二十日 从小径南行二十五里，皆土冈乱垄。久之，得一溪。渡溪，南行冈脊中，下瞰则石淙在望矣。余入自大梁，平衍广漠，古称"陆海"，地以得泉为难，泉以得石尤难。近嵩始睹蜿蜒众峰，于是北流有景、须诸溪，南流有颍水，然皆盘伏土碛中。独登封东南三十里为石淙，乃嵩山东谷之流，将下入于颍。一路陂陀屈曲，水皆行地中，到此忽逢怒石。石立崇冈山峡间，有当关扼险之势。水沁入胁下，从此水石融和，绮变万端。绕水之两崖，则为鹄立，为雁行；踞中央者，则为饮兕，为卧虎。低则屿，高则台，愈高，则石之去水也愈远，乃又空其中而为窟，为洞。揆崖之隔，以寻尺计；

竟水之过，以数丈计。水行其中，石峙于上，为态为色，为肤为骨，备极妍丽。不意黄茅白苇中，顿令人一洗尘目也！

登陇，西行十里，为告成镇，古告成县地。测景台在其北。西北行二十五里，为岳庙。入东华门时，日已下舂，余心艳卢岩，即从庙东北循山行。越陂陀数重，十里，转而入山，得卢岩寺。寺外数武，即有流铿然，下坠石峡中。两旁峡色，氤氲成霞。溯流造寺后，峡底矗崖，环如半规，上覆下削。飞泉堕空而下，舞绡曳练，霏微散满一谷，可当武彝之水帘。盖此中以得水为奇，而水复得石，石复能助水，不尼水，又能令水飞行，则比武彝为尤胜也。徘徊其下，僧梵音以茶点饷，急返岳庙，已昏黑。

二十一日　晨，谒岳帝。出殿，东向太室绝顶。按嵩当天地之中，祀秩为五岳首，故称嵩高。与少室并峙，下多洞窟，故又名太室。两室相望如双眉，然少室嶙峋，而太室雄厉称尊，俨若负扆。自翠微以上，连崖横亘，列者如屏，展者如旗，故更觉岩岩。崇封始自上古，汉武以嵩呼之异，特加祀邑。宋时逼近京畿，典礼大备。至今绝顶犹传铁梁桥、避暑寨之名。当盛之时，固可想见矣。

太室东南一支，曰黄盖峰。峰下即岳庙，规制宏壮。庭中碑石矗立，皆宋、辽以来者。登岳正道，乃在万岁峰下，当太室正南。余昨趋卢岩时，先过东峰，道中见峰峦秀出，中裂如门，或指为金峰玉女沟，从此亦有路登顶，乃觅樵预期为导，今遂从此上。近秀出处，路渐折，避之，险绝不能径越也。北就土山，一缕仅容攀跻，约二十里，遂越东峰，已转出裂门之上。

西度狭脊。望绝顶行，是日浓云如泼墨，余不为止。至是岚气愈沉，稍开则下瞰绝壁重崖，如列绡削玉，合则如行大海中。五里，抵天门。上下皆石崖重叠，路多积雪。导者指峻绝处为大铁梁桥。折而西，又三里，绕峰南下，得登高岩。凡岩幽者多不畅，畅者又少回藏映带之致。此岩上倚层崖，下临绝壑，洞门重峦拥护，左右环倚台嶂。初入，有洞岈然，洞壁斜透；穿行数武，崖忽中断五尺，莫可着趾。导者故老樵，狷捷如猿猴，侧身跃过对崖，取木二枝，横架为阁道。既度，则岩穹然上覆，中有乳泉、丹灶、石榻诸胜。从岩侧跻而上，更得一台，三面悬绝壑中。导者曰：“下可瞰登封，远及箕、颍。”时浓雾四塞，都无所见。出岩，转北二里，得白鹤观址。址在山坪，去险就夷，孤松挺立有旷致。又北上三里，始跻绝顶，有真武庙三楹。侧一井，甚莹，曰御井，宋真宗避暑所浚也。

饭真武庙中。问下山道，导者曰：“正道从万岁峰抵麓二十里。若从西沟悬溜而下，可省其半，然路极险峻。”余色喜，谓嵩无奇，以无险耳。亟从之，遂策杖前。始犹依岩凌石，披丛条以降。既而从两石峡溜中直下，仰望夹崖逼天。先是峰顶雾滴如雨，至此渐开，景亦渐奇。然皆垂沟脱磴，无论不能行，且不能止。愈下，崖势愈壮，一峡穷，复转一峡。吾目不使旁瞬，吾足不容求息也。如是十里，始出峡，抵平地，得正道。过无极洞。西越岭，趋草莽中，五里，得法皇寺。寺有金莲花，为特产，他处所无。山雨忽来，遂借榻僧寮。其东石峰夹峙，每月初生，正从峡中出，所称“嵩门待月”也，计余所下之峡，即在其上，今坐对之，只觉云气出没，安知身自此中来也。

二十二日　出山，东行五里，抵嵩阳宫废址。惟三将军柏郁然如山，汉所封也；大者围七人，中者五，小者三。柏之北，有室三楹，祠二程先生。柏之西，有旧殿石柱一，大半没于土，上多宋人题名，可辨者为范阳祖无择、上谷寇武仲及苏才翁数人而已。柏之西南，雄碑杰然，四面刻蛟螭甚精。右则为唐碑，裴迥撰文，徐浩八分书也。又东二里，过崇福宫故址，又名万寿宫，为宋宰相提点处。又东为启母石，大如数间屋，侧有一平石如砥。又东八里，还饭岳庙，看宋、元碑。

西八里，入登封县。西五里，从小径西北行。又五里，入会善寺，“茶榜”在其西小轩内，元刻也。后有一石碑仆墙下，为唐贞元《戒坛记》，汝州刺史陆长源撰文，河南陆郢书。又西为戒坛废址，石上刻镂极精工，俱断委草砾。西南行五里，出大路，又十里，至郭店。折而西南，为少林道。五里，入寺，宿瑞光上人房。

二十三日　云气俱尽。入正殿，礼佛毕，登南寨。

南寨者，少室绝顶，高与太室等，而峰峦峭拔，负“九鼎莲花”之名。俯环其后者为九乳峰，蜿蜒东接太室，其阴则少林寺在焉。寺甚整丽，庭中新旧碑森列成行，俱完善。夹墀二松，高伟而整，如有尺度。少室横峙于前，仰不能见顶，游者如面墙而立，辄谓少室以远胜。

余昨暮入寺，即问少室道，俱谓雪深道绝，必无往。凡登山以晴朗为佳。余登太室，云气弥漫，或以为仙灵见拒，不知此山魁梧，正须止露半面。若少室工于掩映，虽微云岂宜点滓？今则霁甚，适逢其会，乌可阻也！乃从寺南渡涧登山，六七里，得二祖庵。山至此忽截然土尽而石，石崖下坠成坑。坑半有泉，突石飞下，亦以“珠帘”名之。余策杖独前，愈下愈不得路，久之乃达，其岩雄拓不如卢岩，而深峭过之。岩下深潭泓碧，僵雪四积。再上，至炼丹台。三面孤悬，斜倚翠壁，有亭曰小有天，探幽之屐，从未有抵此者。过此皆从石脊仰攀直跻，两旁危崖万仞，石脊悬其间，殆无寸土，手与足代匮而后得升。凡七里，始跻大峰。峰势宽衍，向之危石，又截然忽尽为土。从草棘中莽莽南上，约五里，遂凌南寨顶，屏翳之土始尽。南寨实少室北顶，自少林言之为南寨云。盖其顶中裂，横界南北，北顶若展屏，南顶列戟峙其前，相去仅寻丈，中为深崖，直下如剖。两崖夹中，坑底特起一峰，高出诸峰上，所谓摘星台也，为少室中央。绝顶与北崖离倚，彼此斩绝不可度。俯瞩其下，一丝相属。余解衣从之，登其上，则南顶之九峰森立于前，北顶之半壁横障于后，东西皆深坑，俯不见底，罡风乍至，几假翰飞去。

从南寨东北转，下土山，忽见虎迹大如升。草莽中行五六里，得茅庵，击石炊所携米为粥，啜三四碗，饥渴霍然去。倩庵僧为引龙潭道。下一峰，峰脊渐窄，土石间出，棘蔓翳之，悬枝以行，忽石削万丈，势不可度。转而上跻，望峰势蜿蜒处趋下，而石削复如前。往复不啻数里，乃迂过一坳，又五里而道出，则龙潭沟也。仰望前迷路处，危崖欹石俱在万仞峭壁上。流泉喷薄其中，崖石之阴森崭巀者，俱散成霞绮。峡夹涧转，两崖静室如峰房燕垒。凡五里，一龙潭沉涵凝碧，深不可规以丈。又经二龙潭，遂出峡，宿少林寺。

二十四日　从寺西北行，过甘露台，又过初祖庵。北四里，上五乳峰，探初祖洞。洞深二丈，阔杀之，达摩九年面壁处也。洞门下临寺，面对少室。地无泉，故无栖者。下至初祖庵，庵中供达摩影石。石高不及三尺，白质黑章，俨然胡僧立像。中殿六祖手植柏，大已三人围，碑言自广东置钵中携至者。夹墀二松亚少林。少林松柏俱修伟，不似岳庙偃仆盘曲，此松亦然。下至甘露台，土阜矗起，上有藏经殿。下台历殿三重，碑碣散布，目不暇接。后为千佛殿，雄丽罕匹。出饭瑞光上人舍。策骑趋登封道，过轘辕岭，宿大屯。

二十五日　西南行五十里，山冈忽断，即伊阙也。伊水南来经其下，深可浮数石舟。伊阙连冈，东西横亘，水上编木桥之。渡而西，崖更危耸。

一山皆劈为崖，满崖镌佛其上。大洞数十，高皆数十丈。大洞外峭崖直入山顶，顶俱刊小洞，洞俱刊佛其内。虽尺寸之肤，无不满者，望之不可数计。洞左，泉自山流下，汇为方池，余泻入伊川。山高不及百丈，而清流淙淙不绝，为此地所难。伊阙摩肩接毂，为楚、豫大道，西北历关、陕。余由此取西岳道去。

【今译】

我幼年时立下游历五岳的志向，而中岳嵩山为五岳之首，仰慕它的心情更为热切。长久以来，我计划经过襄阳、郧阳，登临华山，然后再经过剑阁的连云栈，作为攀登峨眉山的前站；但因为母亲年纪大、身体不好而改变初衷，不得不先去武当山，这还算是不失孝道的出游。顺着长江溯流而上，时间拖得太长了，还不如从陆路去、水路返回，这样时间短些。走汝州、邓州之间的陆路和走陕州、开封府的大致相同，却可以游览嵩山、华山之景，之后再去朝拜泰山。于是决定癸亥年（天启三年，1623）二月初一动身，先去嵩山游览。共走了十九天，到达河南郑州的黄宗店。沿着黄宗店的右边登上石坡，观赏圣僧池。只见一潭清澈见底的泉水，汇积在半山腰处，如同碧玉。山下的深涧纵横交错、高低重叠，但涧中干涸，没有一滴水。下坡以后在涧底行走，沿着香炉山曲曲折折地朝南走。香炉山的三座尖峰，如同倒扣着的大鼎，众山环绕，景色秀丽迷人。涧底散乱的石头布满沟壑，呈现紫玉的颜色。两旁的悬崖峭壁宛转延伸，崖石细密坚硬、颜色润泽；想到清澈的流水从涧中倾泻而过时，水珠喷溅、绿波翻涌，又该是何等的景致呀！走了十里，登上石佛岭。又走了五里，便进入密县境内，远望嵩山，还在六十里之外。由岔路朝东南走二十五里，经过密县，到达天仙院。天仙院祭祀的天仙是黄帝的三女儿。白松矗立在祠堂后面的中间庭院，相传三女儿在白松下蜕变成仙的。松树有四人围抱那么粗，一条树根分化出三株树干，三干鼎立，高指入云，树皮柔滑如凝脂，比搽过粉还要洁净，松枝弯弯曲曲，好像虬龙一样，绿色的松针在风中飞舞，昂然挺立、亭亭于半空之中，真是奇观呀！松树用石栏围住。一道长廊正对着北方，廊中题有许多的诗句联语。我在长廊中逗留了很长一段时间，才下去观看滴水。山涧到此忽然下陷，有一块崖石自上面覆盖着，水从崖石上向下滴沥。返回密县，依然到城西门。行了三十五里路，进入登封县境内的耿店。往南是去石淙的路，于是便在耿店停宿。

二十日。从小路向南走了二十五里，沿途全是土冈和不平的高地。走了很长一段时间，才看到一条小溪。渡过溪水，往南在冈梁上行走，往下俯视便看到石淙。自从进入开封府，地势平坦且宽阔无垠，古人称它为“陆海”，平地上难有泉水，有了泉水又难有岩石。走近嵩山开始看到许多蜿蜒曲折、起伏不定的山峰，北边有景溪、须溪等流水，南面有颍水，但是这些河流全都盘绕隐伏在土堆沙滩之中。只有登封县东南三十里的石淙河，是嵩山东面山谷里的流水，向下注入颍水。一路上地势高高低低、弯曲转折，水都在地上流，流到这里忽然遇到峥嵘的巨石。巨石兀立在高高的山冈和峡谷之间，真有一种一夫当关、扼守险要的气势。水渗入巨石的胁下，从此水石交融，形态峭丽多姿、变化万千。流水环绕的两岸崖石，像天鹅延颈而立，又仿佛大雁排行飞行；矗立在水中的岩石，则犹如犀牛饮水，猛虎卧伏。低矮的像小岛，高大的似平台，岩石越高大，则距离水面越远，中间空洞成为石窟、石洞。估计每块岩石的间隔约八尺；水流最大时的水面，约数丈。水在山崖中流淌，岩石峙立在水上，石态水色，似肤似骨，景致妍丽。想不到茅草芦苇之中,竟有顿时使人眼目一新的美景!

登上高地,朝西走十里,是告成镇、古告成县的所在地。测景台在镇北。往西北走二十五里,到达中岳庙。进入东华门时,已经日渐西山,我心里想着去卢岩寺,便从中岳庙的东北沿山而行。越过数道高低不平的坡地,走了十里,转进山中,到达卢岩寺。寺外儿步远,便有铿然作响的流水,坠入石峡。峡谷两旁的山色,雾气弥漫。溯流而上到了寺后,谷底直立着陡峭的山崖,如半圆环绕,上部倾覆下部凹削;飞流的泉水自空中直泻而下,好像丝绸凌空飘舞一样,细雨般的水珠洒满山谷,和武夷山的水帘洞不相上下。此山因有水而称奇,而水又得岩石映衬、推助,岩石非但不阻流水,而且使得泉水飞流,大大胜过武夷山了。在瀑布的下面徘徊,僧人梵音用茶点款待我们,后急忙返回中岳庙,天已经昏黑了。

二十一日。清晨,祭拜嵩山的神——岳帝。走出大殿后,朝东攀爬至太室山的绝顶。嵩山位于天地的正中,其祭祀的顺序为五岳之首,所以称之为嵩高。和少室山并峙,山下的洞窟很多,所以又名太室山。太室山、少室山远看宛如双眉并列,但是少室山嶙峋突兀,而太室山雄厉居尊,俨然背倚屏风的帝王。自翠色漫野的山脚向上,连绵的山崖横亘不断,排列如屏风,伸展似旗帜,因而更加觉得高峻威竦。尊崇祭祀嵩山从远古就开始了,汉武帝因为嵩山呼万岁的奇异,特别地增加了奉祀岳神的嵩高邑,宋朝因为嵩山靠近京城,祭山的典礼非常完善,至今绝顶上还留有“铁梁桥”“避暑寨”的名称。当年的繁盛景况,完全可以想见。

太室山东南的一条山脉,叫“黄盖峰”。中岳庙就在黄盖峰的山脚,规模宏伟壮观。庭院中碑石林立,全部是宋、辽以来的题刻。攀登嵩山的正道,在万岁峰下,位于太室山的正南方。我昨天去卢岩寺时,首先经过的是东峰，途中所见峰峦异常秀丽，中间部分裂开，好似一扇门。有人指着说是金峰玉女沟，顺着这条沟也有道路可登上绝顶，于是便寻找打柴的人，并与之约好做我的向导，今天便从此处登上绝顶。走近秀峰突出之处，山路逐渐曲折，因这里地势极为险要，不能直接越过，所以我避开这条路。往北朝土山走，道路窄得仿佛是一条细线，只够容人向上攀爬，大约走了二十里，才越过东峰，不久便转到了裂门的上面。

往西翻过狭窄的山脊。远望绝顶朝前走，天上的云层浓黑的如同被墨染过，我并没有因为这而停下来。此时的浓雾越来越沉重，待云雾稍稍打开，便向下俯视，看到绝壁重重、陡崖叠叠，如同展开的绫罗、剖开的玉石，云雾聚合之时则如同在大海上行进。走了五里，到达天门峰。上上下下全是重重叠叠的石崖，路上积雪很多。向导指着最陡峻的地方说它叫“大铁梁桥”。转向西走，又行了三里路，绕着山峰朝南走，到达登高岩。大凡幽静深远的山岩多是道路不畅通的，道路畅通的又缺少了曲折蜿蜒，相互隐蔽、各为映衬的情致。这处岩石上倚层层山崖，下临幽幽深谷，洞门有重重山峦拥护，左右台嶂环倚。爬上登高岩，便见一又深又大的洞穴，沿壁斜行穿入；在洞中穿行了数步远，突然出现五尺宽的裂缝，没有能够踏脚的地方。向导是当地的老樵夫，敏捷得如同猿猴，侧着身子跳到断崖的对面，取来两段树干，横架在断崖上形成通道。过了断崖，高拱的岩石覆盖在上面，当中有乳泉、丹灶、石塌等胜景。自岩侧攀爬而上，另外又有一个平台，平台三面是深深的山谷，向导说：“往下可以俯瞰登封县，远处可看到箕山、颍水。”当时四周浓雾迷蒙，什么也看不见。离开了高岩，转而向北行二里，便到达白鹤观遗址。遗址在山间的平地上，远离险陡而靠近平坦的地方，独挺着一棵松树，颇有一种旷达的情致。又往北上行三里，才登上绝顶，

绝顶上有真武庙，分三进。旁边有一口井，井水特别清冽，唤作“御井”，是宋真宗到顶上避暑时开掘的。

在真武庙用饭。打听下山的道路，向导说：“正路顺着万岁峰下到山脚有二十里。如果顺着西沟倾泻的小股流水而下，可以省掉一半的路程，但是道路非常险峻陡峭。”我露出喜悦的神色，原来认为嵩山不奇特，是因为没有险峻之处。赶忙跟随向导，拄着手杖朝前走。开始还傍着岩石，穿越丛密的草木朝下走。接着便从两石峡沟中向下，抬头仰望夹在两旁的崖壁几乎要逼近天际。在这之前，峰顶上的雾滴如同雨滴，下到此处，雾气逐渐扩散了，奇特的景色逐渐显现，但一直是垂直的山沟没有台阶，且不说行走，就是停留下来也没有办法。越往下行，崖壁的气势就越壮观，下完这道峡谷，便又转进了另一道峡谷中。眼不敢斜视，脚不能停止。像这样走了十里路，才走出峡谷，到达平地，上了正道。经过无极洞。往西越过山岭，在草丛中疾步而行，走了五里，到达法皇寺。法皇寺里有金莲花，是这里的特产，其他的地方没有。山雨忽然降下来，于是便在僧人的小屋中留宿。法皇寺的东面有石峰对立，每当月亮初升，恰好出现在这道峡谷中，被称为“嵩门待月”，也就是我下行的峡谷，现在在它的上面，这样对坐下来，只觉得上面的云气四处出没，又哪里知道自己是从哪来的呢？

二十二日。出山往东行走了五里，到达嵩阳宫废址，遗址只有三株将军柏郁郁葱葱、干大枝繁，这是汉朝封的名称；大的一株有七人围抱之粗，中等的那株要五个人围抱，最小的一株也要三人可以合抱。将军柏的北边，有三间屋子，供奉着程颐、程颢两位先生。柏树的西边，有一根旧殿石柱，石柱的大半截埋在土中，上面有许多宋代人的题名，可以分辨出来的有范阳人祖无择、上谷人寇武仲和苏才翁等数人。柏树的西南方向，有一雄伟且巨大的石碑，四面雕刻着龙形装饰的图案，甚为精致。右边是块唐代的石碑，碑文由裴迥撰写、徐浩用八分书写就，又往东走了二里，经过崇福宫的旧址，崇福宫又名万寿宫，是宋朝宰相提点之处。再往东边则是启母石了，启母石有几间房屋那么大，旁边有一块像磨刀石的平石。又往东走八里路，回到中岳庙吃饭，观看了宋代、元代的碑刻。

往西又走了八里路，便进入登封县城。再向西走五里路，沿着小路向西北走。又行五里，到达会善寺，元代雕刻的“茶榜”碑刻便在会善寺西边的小屋里。背后有一块石碑仆倒在墙角，是唐朝贞元年间(785—804)刻的《戒坛记》，碑文为汝州刺史陆长源撰写，河南人陆郢书写，再往西是荒废的戒坛遗址，石头上的雕刻十分精致，但全都残缺不全地扔在荒草碎石中。往西南行进五里，便到了大路上，又走了十里，到达郭店。转向西南走，是去少林寺的道路。走五里，便进入少林寺，在僧人瑞光的房中歇宿。

二十三日。云雾完全消散。进入少林寺正殿，拜完佛后，攀登南寨。

南寨是少室山的绝顶，其高度和太室山相等，但是峰峦陡峻挺拔，享有“九鼎莲花”的盛名。低环在少室山后面的是九乳峰，九乳峰向东蜿蜒与太室山相接，少室山的北面就是少林寺。少林寺十分庄严华丽，庭院中新旧碑刻排列整齐，全都十分完好。台阶两侧的两棵松树，高大雄伟而且整齐，好像用尺子量裁过一样。少室山横障在少林寺的前面，抬起头来看不到山顶。游人像面对着墙壁站立，于是便认为少室山的景致应远远地观看为妙。

我昨天傍晚入寺之时，便打探攀登少室山的道路，都说雪深路断，必定是去不成的。一般情况下晴朗天气登山最好。我登太室山时，云烟雾气弥漫，有人认为是山神拒绝游客，他们却不知道太室山雄伟高大，恰好只需要露出半面。倘若少室山的优美之处在于山石云雾的互相掩映辉照，那么只是薄薄的一层云彩，又怎能掩盖它的山色呢？今天倒是十分晴朗，恰好遇上这样的机会，又有什么能够阻挡我登山呢！于是便从寺的南面渡过山涧登山，走六七里路程，到达二祖庵。此处山峰忽然只看见石头而看不到土了，石崖往下坠落形成深坑。深坑的半腰处有一泉，泉水越过岩石飞速向下倾泻，也以“珠帘”命名。我拄着拐杖独自一人朝前走，愈往下愈是没有路，很久才到达崖底。其岩虽比不上卢岩雄伟开阔，但幽深峻峭却超过了卢岩。岩石下面一潭碧绿，四周的积雪已凝结。又往上行走，到达炼丹台。炼丹台三面悬空，一面斜靠着青翠的崖壁，台上有一亭，名叫“小有天”，游人的足迹，从来没有能够踏到这里的。从这里过去全部是沿着石脊抬着头直直地往上攀爬，两侧的陡崖高达万仞，石脊悬挂在陡崖之中，几乎没有一寸土，手足竭尽全力地交替使用才可以攀登。一共七里路，才登上大峰。大峰地势宽阔而平坦，刚才都是陡直的岩石，现在突然全是泥土了。在草丛荆棘中冒冒失失往南行走，大约有五里路，便登上了南寨顶，岩石上的泥土到了此处又全没有了。南寨其实是少室山的北顶，就少林寺而言它才是南寨。原来少室山山顶自中部裂开，横断为南北两部分，北顶像展开的屏风，南顶如同刀戟一样排列峙立，两座山顶相距仅八尺到一丈宽，中间是深深的峡谷，陡直下陷，像用刀剖开的一样。两边的山崖相夹，底部奇特地耸起一座山峰，高出众山峰，便是所谓的“摘星台”，少室山的正中央所在。绝顶和北部的山崖若即若离，彼此间断开不能直接到达。低头看绝顶的下面，只有很少的一点和北崖相连。我脱掉衣服顺着走，登上绝顶，南顶的九峰屹立在前，北顶的半壁屏障般横列在后，东西两面全是深坑，低头看不到底，突然刮起狂风，使人几乎想像羽毛那样乘着劲风飞去。

沿着南寨往东北拐，下了土山，忽然看见如升大的老虎足迹。在草丛中行了五六里路，到达一处茅庵，用打火石取火，把带来的米煮成粥，喝了三四碗之多，饥渴迅速消失了。请庵中的僧人指引去龙潭的道路。下一座山峰，峰脊逐渐狭窄，泥土与岩石交相出现，荆棘藤蔓覆盖而生，抓着树枝攀爬前行，突见岩石耸立万丈，必定是过不去了。便转而向上攀爬，顺着峰势蜿蜒往下走，但是岩石又像前面一样突然陡峭起来。来来回回地走了好几里，才绕过一道山坳，又前行了五里路才发现道路，到龙潭沟了。抬头仰望刚才迷路的地方，陡峭的崖壁、倾斜的岩石，都在万仞高的绝壁之上。清澈的流水从里面喷洒而出，高陡阴森的崖石，全都披上了绮丽的云霞。峡谷夹着山涧转弯，两侧山崖上的静室仿佛蜂房、燕窝一样。共走了五里，看到一处幽静碧绿的龙潭，深不可测。又经过两处龙潭，便走出了峡谷，在少林寺歇宿。

二十四日。从少林寺的西边往北走，经过甘露台，又经过初祖庵。往北走四里，登上五乳峰，探游初祖洞。洞深二丈，宽度略窄，是达摩大师面壁九年的地方。初祖洞洞门对着少林寺，正对少室山。地下没有泉水，因此没有人在此居住。往下行到初祖庵，初祖庵中供奉着达摩的影石。影石不到三尺高，白色的石质、黑色的花纹，俨然一幅外国僧人站立的图像。中殿六祖慧能亲手种植的柏树，现今已经有三人围抱那么粗了，碑文记载说，此树是慧能放在钵中从广东带到这个地方的。台阶两旁的两棵松树比不上少林寺的松树。少林寺的那些松树、柏树挺拔、高大、雄伟，令人肃然起敬，不像中岳庙的卧倒仆伏而又盘盘曲曲、姿态延展，这个地方的松柏也是直直而立的。下行到甘露台，有一座土山矗立着，土山的上面有个藏经殿。从甘露台下去，经过三重殿宇，发现各种碑刻遍地都是，使人目不暇接。后面是千佛殿，千佛殿的雄伟华丽是别的庙宇极少可以比拟的。我们出殿后便到瑞光和尚的房中吃饭。饭后甩鞭赶着马匹走上往登封的大道，又经过轘辕岭，留宿在大屯。

二十五日。向西南方向行走五十里，忽然山冈被劈断了，这就是伊阙山，伊水自南边流经山脚，水很深，可以通行载重甚多的船只。伊阙山相连的山冈，东西横贯而卧，人们在伊水上架设了木桥。我们渡水到达西岸，发现悬崖峭壁更加陡峻高峭了。一座山被劈成崖壁，崖壁之上全都雕刻了石头佛像。有几十个大山洞，高达数十丈。大洞外面的峭壁直接伸到山顶，山顶上又凿着小洞，洞里面也凿刻着佛像。即使一丁点地方，都被刻满了石像，真是无法计数。山洞的左边，泉水自山上流下，汇积成石头池子，多余的水则泻入伊水。伊阙山高度不过百丈，但是潺潺清流源源不断，这在当地是非常难得的。在伊阙，人挤着人、车挨着车，是湖北、河南通往西北，经过关中陕西的大路。我于是取此路到西岳华山。

游太华山日记

【解题】

太华山即华山，五岳中的西岳，位于今陕西省华阴市区南，壁立于渭河平原南侧，奇拔峻秀。有东（朝阳）、西（莲花）、南（落雁）、北（云台）四峰环拱着中峰（玉女），南峰最高，海拔2154.9米，为中华五岳高度之首；西峰最险峻，北峰为登全山必经之处，三面悬绝，南登苍龙岭后方可再往其他四峰。山上道观古迹、天然奇景，随处可见，但都要通过悬崖峭壁上开出的险道才能到达，惊险万分。

徐霞客于明天启三年（癸亥）三月初一至初十（1623年3月31日至4月9日）游览了华山及其周边地区。由于游览的地方多，游道险绝，刚入山时在记叙的层次方面似与今之实情有些不合，尚需读者辨别。

【原文】

二月晦 入潼关，三十五里，乃税驾西岳庙。黄河从朔漠南下，至潼关，折而东。关正当河、山隘口，北瞰河流，南连华岳，惟此一线为东西大道，以百雉锁之。舍此而北，必渡黄河，南必趋武关，而华岳以南，峭壁层崖，无可度者。未入关，百里外即见太华屼出云表；及入关，反为冈陇所蔽。行二十里，忽仰见芙蓉片片，已直造其下，不特三峰秀绝，而东西拥攒诸峰，俱片削层悬。惟北面时有土冈，至此尽脱山骨，竞发为极胜处。

三月初一日 入谒西岳神，登万寿阁。向岳南趋十五里，入云台观。觅导于十方庵。由峪口入，两崖壁立，一溪中出，玉泉院当其左。循溪随峪行十里，为莎萝宫，路始峻。又十里，为青柯坪，路少坦。五里，过寥阳桥，路遂绝。攀锁上千尺幢，再上百尺峡。从崖左转，上老君犁沟，过猢狲岭。去青柯五里，有峰北悬深崖中，三面绝壁，则白云峰也。舍之南，上苍龙岭，过日月岩，去犁沟。又五里，始上三峰足。望东峰侧而上，谒玉女祠，入迎阳洞。道士李姓者留余宿。乃以余晷上东峰，昏返洞。

初二日 从南峰北麓上峰顶，悬南崖而下，观避静处。复上，直跻峰绝顶。上有小孔，道士指为仰天池，旁有黑龙潭。从西下，复上西峰。峰上石耸起，有石片覆其上如荷叶。旁有玉井甚深，以阁掩其上，不知何故。还饭于迎阳。上东峰，悬南崖而下，一小台峙绝壑中，是为棋盘台。既上，别道士，从旧径下，观白云峰，圣母殿在焉。下到莎萝坪，暮色逼人，急出谷，黑行三里，宿十方庵。出青柯坪左上，有杯渡庵、毛女洞；出莎萝坪右上，有上方峰；皆华之支峰也。路俱峭削，以日暮不及登。

初三日 行十五里，入岳庙。西五里，出华阴西门，从小径西南二十里，入泓峪，即华山之西第三峪也。两崖参天而起，夹立甚隘，水奔流其间。循涧南行，倏而东折，倏而西转。盖山壁片削，俱犬牙错入，行从牙罅中，宛转如江行调舱然。二十里，宿于木柸。自岳庙来，四十五里矣。

初四日 行十里，山峪既穷，遂上泓岭。十里，蹑其巅。北望太华，兀立天表。东瞻一峰，嵯峨特异，土人云赛华山。始悟西南三十里有少华，即此山矣。南下十里，有溪从东南注西北，是为华阳川。溯川东行十里，南登秦岭，为华阴、洛南界。上下共五里。又十里为黄螺铺。循溪东南下，三十里，抵杨氏城。

初五日 行二十里，出石门，山始开。又七里，折而东南，入隔凡峪。西南二十里，即洛南县峪。东南三里，越岭，行峪中。十里，出山，则洛水自西而东，即河南所渡之上流也。渡洛复上岭，曰田家原。五里，下峪中，有水自南来入洛。溯之入，十五里，为景村。山复开，始见稻畦。过此仍溯流入南峪，南行五里，至草树沟。山空日暮，借宿山家。

自岳庙至木柸，俱西南行，过华阳川则东南矣。华阳而南，溪渐大，山渐开，然对面之峰峥峥也。下秦岭，至杨氏城。两崖忽开忽合，一时互见，又不比木柸峪中，两崖壁立，有回曲无开合也。

初六日 越岭两重，凡二十五里，饭坞底岔。其西行道，即向洛南者。又东南十里，入商州界，去洛南七十余里矣。又二十五里，上仓龙岭。蜿蜒行岭上，两溪屈曲夹之。五里，下岭，两溪适合。随溪行老君峪中，十里，暮雨忽至，投宿于峪口。

初七日 行五里，出峪。大溪自西注于东，循之行十里，龙驹寨。寨东去武关九十里，西向商州，即陕省间道。马骡商货，不让潼关道中。溪下板船，可胜五石舟。水自商州西至此，经武关之南，历胡村，至小江口入汉者也。遂趋觅舟。甫定，雨大注，终日不休，舟不行。

初八日 舟子以贩盐故，久乃行。雨后，怒溪如奔马，两山夹之，曲折萦回，轰雷入地之险，与建溪无异。已而雨复至。午抵影石滩，雨大作，遂泊于小影石滩。

初九日 行四十里，过龙关。五十里，北一溪来注，则武关之流也。其地北去武关四十里，盖商州南境矣。时浮云已尽，丽日乘空，山岚重叠竞秀。怒流送舟，两岸浓桃艳李，泛光欲舞，出

坐船头,不觉欲仙也。又八十里,日才下午,榜人以所带盐化迁柴竹,屡止不进。夜宿于山涯之下。

初十日　五十里,下莲滩。大浪扑入舟中,倾囊倒箧,无不沾濡。二十里,过百姓滩,有峰突立溪右,崖为水所摧,岌岌欲堕。出蜀西楼,山峡少开,已入南阳淅川境,为秦、豫界。三十里,过胡村。四十里,抵石庙湾,登涯投店。东南去均州,上太和,盖一百三十里云。

【今译】

二月底。进入潼关,走三十五里,在西岳庙住宿。黄河从北方的沙漠地带向南奔流而去,到达潼关,拐弯向东流去。潼关恰好处在黄河、华山的隘口处,北可俯瞰黄河水,南与华山相连,只有潼关这个狭窄的通道横贯东西,由长长的高大的城墙封锁着。如果不经潼关而向北,则必须横渡黄河,往南则必经武关,而华山在南面,悬崖陡壁、险要横生,找不到可以通过的道路。在我们还没入潼关时,百里之外就看见了突出云层的华山;进入潼关后,华山反而被低冈小山遮蔽住了。走了二十里的山路,一抬头忽然发现座座山峰如同片片荷花,原来已经到了华山脚下。华山不仅落雁、朝阳、莲花三座山峰奇绝秀美,而且簇拥在东西两旁的众山峰,层层叠叠的岩石如刀削一般。只有北面不时有些土冈,到这里全都露出岩石来,竞相展示自己的绝妙之处。

三月初一日。进西岳庙拜谒西岳神,登上万寿阁。朝着华山的南边走了十五里路,进入云台观。在十方庵找到了一位向导。从山谷口向里看,发现两旁高耸的山崖异常陡峭,一股溪水在山谷中流淌不息,玉泉院就在溪流的左岸。循着溪流顺着山谷行走了十里山路,到达莎萝宫，道路开始变得险峻了。接着走了十里山路，到了青柯坪，这里的道路稍微有些平坦。又走了五里山路，过了寥阳桥，这时道路中断了。我攀着铁链登上千尺幢，接着再向上爬到百尺峡。再顺着山崖向左拐，登上老君犁沟，越过猢狲岭。距离青柯坪五里处，有一座山峰孤悬在北面的深谷中，三面绝壁，便是白云峰了。我离开白云峰转而向南，登上苍龙岭，之后又经过日月岩，离开老君犁沟，又走了五里，到了东、南、西峰的脚下。我向着东峰的侧面向上走，拜谒玉女祠，后来又进了迎阳洞。一姓李的道士留我住下来。于是我便用剩下来的一些时间去攀登东峰，天黑的时候才回到迎阳洞。

初二日。从南峰的北麓登上峰顶，又从南面悬崖下来，游览一些比较偏僻幽静的地方。后来直接登上南峰的绝顶。顶上有一个小山洞，道士把它叫做“仰天池”，旁边有个黑龙潭。再从西面下去，又登上西峰，西峰顶上四处都是耸立的岩石，有的岩石被荷叶般的石片覆盖着。旁边的玉井很深，上面盖有亭阁，我不知道为什么会这样。后来返回迎阳洞吃饭。登上东峰后，我又顺着南面的山崖下来，有一个小平台屹立在极其陡峭的壑谷中，这就是“棋盘台”。登上顶峰后，我便告别了那个道士，从原来的路下山去，观赏着白云峰，圣母殿就建在那个地方。再向下行，到莎萝坪后，天色已晚，于是赶忙走出山谷，摸黑走了三里，歇宿在十方庵。出青柯坪向左，有柸渡庵、毛女洞；出莎萝坪向右，便看见上方峰；这些都是华山的支峰。道路都非常陡峭险峻，因天色已黑，我来不及再攀登。

初三日。走了十五里，又到了西岳庙。朝西走了五里，从华阴县的西门出城，又顺着小路朝西南走二十里，便到了泓峪。泓峪是华山西边的第三条山谷。山谷两边悬崖峭壁参天挺立，间隙狭窄，溪水在山谷中奔腾涌流。沿着山涧向南行走，一会儿向东转，一会儿又向西转。

崖壁刀削似的石头，如犬牙交错，在岩石之间的缝隙中穿行，仿佛是在弯弯曲曲的江上行船，需要不停地调整航向。这样走了二十里路，在木柸住宿。从西岳庙出来，已经走了四十五里。

初四日。走了大约十里，出了山谷，开始攀登泓岭。又走了十里路，便上行到泓岭的山顶。这时北望太华山，只见它高高地直插天际。东边有一座山峰，山势高峻险要特别突出，当地人都称它“赛华山”。我这才领悟到西南三十里有少华山，指的就是这座山了。便向南又下行了十里，有一条溪水自东南方向西北方流淌，就是华阳川。我又溯着川流向东走了十里，向南登上秦岭，这是华阴和洛南的分界。一上一下共走五里路。又走了十里路，便到黄螺铺。沿着溪流朝东南下行，走三十里，便到达杨氏城。

初五日。行了二十里，出了石门，山势渐渐开阔。又走了七里，转而向东南行走，进入隔凡峪。自此处朝西南行二十里路，便是洛南县峪。往东南行三里，翻过山岭，在山谷中行走。走十里后，出山，洛水从西向东流，就是在河南所渡河水的上游。渡过洛水后又爬上山岭，名叫“田家原”。走五里，下行到山谷中，有水从南来汇入洛水。溯流走入山谷，十五里，到达景村。山势又变得开阔起来，开始看得见稻田了。走出景村后仍然溯流而行，进入南峪，向南行了五里路，到达草树沟。山中空灵、太阳将落山，便在山里的一处人家借宿。

自西岳庙到木柸，都是朝西南方向走，过华阳川就往东南方向走了。自华阳川往南，溪流逐渐变大，山势也逐渐开阔了，然而对面的山峰仍旧高峻挺拔。下了秦岭，到杨氏城。两边的山崖时分时合，交错互见，和木柸山谷不一样，那里两旁的山崖壁立，迂回曲折却没有分分合合的景观。

初六日。越过两重山岭，共走了二十五里，在坞底岔用饭。坞底岔朝西是洛南。我往东南走了十里，进入商州境内，距离洛南县有七十多里。又行了二十五里，登上仓龙岭，在曲折蜿蜒的山岭上行走，两旁是弯弯曲曲的小溪。走五里路之后，下了仓龙岭，两条溪流正好汇合。顺着溪流在老君峪中行走，走了十里后，傍晚时忽然下起了雨，便在老君峪口投宿。

初七日。行走五里，出山谷。一条大溪自西向东流，沿着溪流走了十里，到龙驹寨。龙驹寨东距武关九十里，西边通往商州，是去陕西的小径。路上来往的骡马、商人和货物，不比潼关大路少。溪中的那些板船可以承受五石的重量。溪水从商州的西边流来，经过武关后又朝南奔流而去，流经胡村，到小江口汇入汉水。于是寻找船只。刚找好船只，便大雨如注，一整天都没有停，不能开船。

初八日。因为船夫要贩盐，拖了很久才起航。大雨过后，水势变大，像万马奔腾一样。水流夹在两山之间，曲曲折折、盘旋蜿蜒，雷声轰鸣般流入险要地段，和建溪的情形没什么不同。不一会儿又下起雨来，中午时分到达影石滩，这时雨下得更大，于是便停泊在小影石滩。

初九日。航行了四十里的水路，经过龙关。又行五十里后，发现一条溪水自北流来，这是武关的流水。此处往北距离武关有四十里远，是商州南部地域。此时浮云散开，丽日当空，雾气笼罩山峰，层峦叠嶂、争奇斗娇。奔腾翻涌的水流推着航船前进，两岸桃花、李花盛开，沐浴在阳光中，似在翩翩起舞。走出船舱到船头坐下来，我不禁有飘飘欲仙的感觉。又航行了八十里，才到下午时分，摇船的人用所带的盐交换木柴和竹子，反复停下来不能快速行进。当天晚上便停宿在山崖之下。

初十日。航行了五十里，到达莲滩。这时遇到大浪，水打进船舱，口袋箱柜等东西翻倒下来，没有不被打湿的。又航行了二十里，过百姓滩，忽见右岸一山峰突立，山崖被水流冲击着，摇摇欲坠的样子。船出了蜀西楼之后，峡谷稍稍开阔了些，不久驶进南阳淅川县境，陕西、河南两省的分界。航行了三十里之后，途经胡村。再航行四十里路，到达石庙湾，上岸找到旅店投宿。由此处往东南去均州，上太和山，大概有一百三十里路程。

游天台山日记(后)

【解题】

这是徐霞客第二次游天台山的日记,时间为明崇祯五年(壬申)三月十四至二十日、四月十六至十八日(1632 年 5 月 2 日至 6 日、6 月 3 日至 5 日),距徐氏 28 岁时第一次游天台山,已过去 19 年了。

徐氏此次再游天台山,已 47 岁,其笔致与精神较之第一次更加老到和成熟。本篇对天台山水系的分析细致精到,准确实在,体现了他考察的细致和追求科学的精神。

【原文】

壬申三月十四日 自宁海发骑,四十五里,宿岔路口。其东南十五里为桑洲驿,乃台郡道也;西南十里松门岭,为入天台道。

十五日 渡水母溪,登松门岭,过玉爱山,共三十里,饭于筋竹岭庵,其地为宁海、天台界。陟山冈三十余里,寂无人烟,昔弥陀庵亦废。下一岭,从山杳冥中,得村家,瀹茗饮石上。又十余里,逾岭而入天封寺。寺在华顶峰下,为天台幽绝处。却骑,同僧无馀上华顶寺,宿净因房,月色明莹。其地去顶尚三里,余乘月独上,误登东峰之望海尖,西转,始得路至华顶。归寺已更余矣。

十六日 五鼓,乘月上华顶,观日出。衣履尽湿，还炙衣寺中。从寺右逾一岭，南下十里，至分水岭。岭西之水出石梁，岭东之水出天封。循溪北转，水石渐幽。又十里，过上方广寺，抵昙花亭，观石梁奇丽，若初识者。

十七日 仍出分水岭，南十里，登察岭。岭甚高，与华顶分南北界。西下至龙王堂，其地为诸道交会处。南十里，至寒风阙。又南下十里，至银地岭，有智者塔已废。左转得大悲寺，寺旁有石，为智者拜经台。寺僧恒如为炊饭，乃分行囊从国清下至县，余与仲昭兄以轻装东下高明寺。寺为无量讲师复建，右有幽溪。溪侧诸胜曰圆通洞、松风阁、灵响岩。

十八日 仲昭坐圆通洞，寺僧导余探石笋之奇。循溪东下，抵螺溪。溯溪北上，两崖峭石夹立，树巅飞瀑纷纷。践石蹑流，七里，山回溪坠，已至石笋峰底，仰面峰莫辨，以右崖掩之也。从崖侧逾隙而下，反出石笋之上，始见一石矗立涧中，涧水下捣其根，悬而为瀑，亦水石奇胜处也。循溪北转，两崖愈峭，下汇为潭，是为螺蛳潭，上壁立而下渊深。攀崖侧悬藤，踞石遥睇其内。潭上石壁，中劈为四岐，若交衢然。潭水下薄，不能窥其涯涘。最内两崖之上，一石横嵌，俨若飞梁。梁内飞瀑自上坠潭中，高与石梁等。四旁重崖回映，可望而不可即，非石梁所能齐也。闻其上有“仙人鞋”，在寒风阙之左，可逾岭而至。雨骤，不成行，还憩松风阁。

二十日　抵天台县。

至四月十六日，自雁宕返，乃尽天台以西之胜。北七里，至赤城麓，仰视丹霞层亘，浮屠佛塔标其巅，兀立于重岚攒翠间。上一里，至中岩，岩中佛庐新整，不复似昔时凋敝。时急于琼台、双阙，不暇再蹑上岩，遂西越一岭，由小路七里，出落马桥。又十五里，西北至瀑布山左登岭。五里，上桐柏山。越岭而北，得平畴一围，群峰环绕，若另辟一天。桐柏宫正当其中，惟中殿仅存，夷、齐二石像尚在右室，雕琢甚古，唐以前物也。黄冠久无住此者，群农见游客至，俱停耕来讯，遂挟一人为导。西三里，越二小岭，下层崖中，登琼台焉。一峰突瞰重坑，三面俱危崖回绕。崖右之溪，从西北万山中直捣峰下，是为百丈崖。崖根涧水至琼台脚下，一泓深碧如黛，是名百丈龙潭。峰前复起一峰，卓立如柱，高与四围之崖等，即琼台也。台后倚百丈崖，前即双阙对峙，层崖外绕，旁绝附丽。登台者从北峰悬坠而下，度坳脊处咫尺，复攀枝仰陟而上，俱在削石流沙间。趾无所着也。从台端再攀历南下，有石突起，窟其中为龛，如琢削而就者，曰仙人坐。琼台之奇，在中悬绝壑，积翠四绕。双阙亦其外绕中对峙之崖，非由涧底再上，不能登也。忆余二十年前，同云峰自桃源来，溯其外涧入，未深穷其窟奥。今始俯瞰于崖端，高深俱无遗胜矣。饭桐柏宫，仍下山麓，南从小径渡溪，十里，出天台、关岭之官道。复南入小径，隙行十里，路左一峰兀立若天柱，问知为青山茁。又溯南来之溪十里，宿于坪头潭之旅舍。

十七日 由坪头潭西南八里，至江司陈氏。渡溪左行，又八里，南折入山。陟小岭二重，又六里，重溪回合中，忽石岩高峙，其南即寒岩，东即明岩也。令僮先驰，炊于明岩寺，余辈遂南向寒岩。路左俱悬崖盘列，中有一洞岈然。洞前石兔蹲伏，口耳俱备。路右即大溪萦回，中一石突出如擎盖，心颇异之。既入寺，向僧索龙须洞灵芝石，即此也。寒岩在寺后，宏敞有余，玲珑未足。由洞右一上视鹊桥而出。由旧路一里，右入龙须洞。路为莽棘所翳，上跻里许，如历九霄。其洞圆耸明豁，洞中斜倚一石，颇似雁宕之石梁，而梁顶有泉中洒，与宝冠之芭蕉洞如出一冶。下山，仍至旧路口，东溯小溪，南转入明岩寺。寺在岩中，石崖四面环之，止东面八寸关通路一线。寺后洞窈窕非一，洞右有石笋突起，虽不及灵芝之雄伟，亦具体而微矣。饭后，由故道骑而驰三十里，返坪头潭。又北二十五里，过大溪，即西从关岭来者，是为三茅。又北五里，越小涧二重，直抵北山下，入护国寺宿焉。

十八日 晨，急诣桃源。桃源在护国东二里，西去桐柏仅八里。昨游桐柏时，留为还登万年之

道，故先寒、明。及抵护国，知其西有秀溪，由此入万年，更可收九里坑之胜，于是又特趋桃源。初由涧口入里许，得金桥潭。由此而上，两山愈束，翠壁穹崖，层累曲折，一溪介其中。溯之，三折而溪穷，瀑布数丈，由左崖泻溪中。余昔来瀑下，路穷莫可上，仰视穹崖北峙，溪左右双鬟诸峰娟娟攒立，岚翠交流，几不能去。今忽从右崖丛莽中，寻得石径层叠，遂不及呼仲昭，冒雨拨棘而上。磴级既尽，复叠石横栈，度崖之左，已出瀑上。更溯之入，直抵北岩下，蹊磴俱绝，两瀑自岩左右分道下。遥睇岩左犹有遗磴，从之，则向有累石为桥于左瀑上者，桥已中断，不能度。睇瀑之上流，从东北夹壁中来，止容一线，可践流而入。计其胜不若右岩之瀑，乃还，从大石间向西北上跻，抵峡窟下，得重潭甚厉，四面俱直薄峡底，无可缘陟。第从潭中西望，见石峡之内复有石峡，瀑布之上更悬瀑布，皆从西北杳冥中来，至此缤纷乱坠于回崖削壁之上，岚光掩映，石色欲飞。久之，还出层瀑下。仲昭以觅路未得，方独坐观瀑，遂同返护国。闻桃源溪口，亦有路登慈云、通元二寺，入万年，路较近；特以秀溪胜，故饭后仍取秀溪道。西行四里，北折入溪，溯流三里，渐转而东向，是为九里坑。坑既穷，一瀑破东崖下坠，其上乱峰森立，路无可上。由西岭攀跻，绕出其北，回瞰瀑背，石门双插，内有龙潭在焉。又东北上数里，逾岭，山坪忽开，五峰围拱，中得万年寺，去护国三十里矣。万年为天台西境，正与天封相对，石梁当其中。寺中古杉甚多。饭于寺。又西北三里，逾寺后高岭。又向西升陟岭角者十里，乃至腾空山。下牛牯岭，三里抵麓。又西逾小岭三重，共十五里，出会墅。大道自南来，望天姥山在内，已越而过之，以为会墅乃平地耳。复西北下三里，渐成溪，循之行五里，宿班竹旅舍。

天台之溪，余所见者：正东为水母溪；察岭东北，华顶之南，有分水岭，不甚高；西流为石梁，东流过天封，绕摘星岭而东，出松门岭，由宁海而注于海。正南为寒风阙之溪，下至国清寺，会寺东佛陇之水，由城西而入大溪者也。国清之东为螺溪，发源于仙人鞋，下坠为螺蛳潭，出与幽溪会，由城东而入大溪者也；又东有楢溪诸水，余屐未经。国清之西，其大者为瀑布水，水从龙王堂西流，过桐柏为女梭溪，前经三潭，坠为瀑布，则清溪之源也；又西为琼台、双阙之水，其源当发于万年寺东南，东过罗汉岭，下深坑而汇为百丈崖之龙潭，绕琼台而出，会于青溪者也；又西为桃源之水，其上流有重瀑，东西交注，其源当出通元左右，未能穷也；又西为秀溪之水，其源出万年寺之岭，西下为龙潭瀑布，西流为九里坑，出秀溪东南而去。诸溪自青溪以西，俱东南流入大溪。又正西有关岭、王渡诸溪，余屐亦未经；从此再北有会墅岭诸流，亦正西之水，西北注于新昌；再北有福溪、罗木溪，皆出天台阴，而西为新昌大溪，亦余屐未经者矣。

【今译】

壬申年三月十四日。我从宁海县骑马出发，走了四十五里的路，在岔路口住下。岔路口东南十五里有一个地方叫桑洲驿，是去台州府的道路；西南十里的地方为松门岭，是进天台山的道路。

十五日。渡过水母溪，攀爬松门岭，翻过玉爱山，总共爬山行进了三十里的路程，在筋竹岭庵吃饭，这里是宁海县、天台县的分界处。攀登了三十多里的山冈，一路上空无人烟，从前修建的一座弥陀庵也荒废了。下山过一道山岭，在幽静深远的山谷中，我终于找到了一户农家，主人煮了茶让我们坐在大石头上饮用。告别农家后又向前行走了十多里山路，越过山岭便到了天封寺。天封寺在华顶峰的下方，是天台山最为幽静僻远的所在。我下了马，和僧人无馀一起攀登华顶寺，之后在净因和尚的斋房里住了下来，晚上的月光明亮晶莹。这里距离峰顶还有三里路，我便趁着月光独自一人上山顶，却误登上了东边的望海尖山峰，后来又转向西走，才找到正路登上华顶峰的峰顶。待我返回华顶寺时已经一更多了。

十六日。五更天时分，我趁着月光登上华顶峰，观看日出。衣服和鞋子全都湿透了，后返回寺中烤干。我又从华顶寺的右边翻过一座山岭，向南往下行走了十里路，来到分水岭。分水岭西边的水从石梁里流出来，东边的水从天封寺流出。顺着溪水向北转过去，水逐渐变得深些了，岩石也渐渐地陡峭了。又向前继续走了十里，经过上方广寺，到达昙花亭，在那儿欣赏奇丽美妙的石梁景观，如同第一次见到似的惊异。

十七日。依然从分水岭出发，向南走了十里，登上獠岭。獠岭非常高大，和华顶峰形成南北分界线。我又向西往下到了龙王堂，这里是各条道路交汇的地方。又向南走十里，到寒风阙。又向南下行了十里山路，便到了银地岭，此处的智者塔早已废弃了。向左转到大悲寺，寺旁有一块岩石，传说是智者大师的拜经台。寺庙里的僧人恒如为我们做饭，于是我们在这里分道扬镳，其他的人拿着行李从国清寺向下走到天台县，我和族兄徐仲昭轻装向东走到高明寺。高明寺是无量法师重新修建的，寺的右边有一条幽溪，两岸有圆通洞、松风阁、灵响岩等名胜。

十八日。徐仲昭留在圆通洞，寺里的僧人带我去探访奇异的石笋峰。沿着幽溪向东下行，便到了螺溪。溯流往北，两岸的悬崖峭石夹溪而立，崖顶上树梢处瀑布纷飞而下。踩着崖石沿着溪流往前行进，七里路后，山峦曲折，溪水沿着山势向下倾泻，已经到了石笋峰脚下，抬头却看不清楚石笋峰，因为右边的崖壁挡住了视线。自崖壁边的缝隙中穿越而下，反而走到石笋峰的上面，看到一块岩石矗立在山涧中，涧水向下，冲捣着岩石的根部，后腾空而起形成瀑布，也是一处水石奇异的胜境。顺着溪流向北转，两岸的崖壁愈来愈陡峭，崖壁下有水汇积为潭，这便是螺蛳潭了，上面的崖石壁立而下面的潭水深不可测。从崖石的侧边攀爬悬挂的藤条而上，盘坐在崖石上远远地看螺蛳潭内部。潭上的石壁，自中间分成四块，裂隙像交叉的道路一般。潭水顺着裂隙往下流，看不到潭的边际。最里面的两块崖石之间，横嵌有一块石头，像悬架在空中的桥梁。横石内瀑布从崖石坠落到潭中，瀑布的高度和石梁相等。四周的山崖层峦叠嶂、相互映衬，可望而不可即，此处景致却不是石梁风景所能比拟的。听说上面有叫“仙人鞋”的名胜，在寒风阙的左面，翻越山岭就可以去的。突然下起大雨，没能去成，便返回松风阁休息。

二十日。到达天台县。

到四月十六日，从雁荡山返回时，遍游了天台山西部的名胜古迹。向北行走七里，便来到赤城山麓，抬头仰望，看到一层层红色的山崖，山顶上挺拔的佛塔，昂然兀立在层层云霞和茂密繁盛的树木之中。向上行一里，来到中岩，中岩上的佛寺重新修整过，不似从前那样破旧衰败。这时，我急着去琼台、双阙，来不及再攀爬上岩，于是向西越过一座山岭，顺着小路走了七里，走过落马桥。又走了十五里，向西北来到瀑布山，从左边攀登山岭。行了五里路，便登上桐柏山。越过山岭，向北走去，便看到一片平整的土地，四周群峰环绕，好像是另一片天地。桐柏宫便坐落在这片平地的正中间，但是，只剩下中殿了，伯夷、叔齐的两尊石像还存放在右室中，其雕刻的风格古朴，是唐代以前的遗物。很长时间都没有道士在这里住了，一群农民看到有游客来，全部停止耕种前来询问，于是我便拉住其中的一人作为向导。向西行走了三里路，翻过两座小山岭，下行到层层叠叠的山崖之中，便登上了琼台。一座山峰高耸而起，俯瞰深坑，三面全都盘绕着陡峭的石头。崖石右面的溪水，从西北边的万山中直冲峰下，这座山峰就叫做“百丈崖”。崖底的涧水流到琼台脚下，一池清水又深又绿，叫做“百丈龙潭”。百丈崖的前面又耸起一座山峰，像柱子似的高高挺立，与四面的山崖齐高，这就是“琼台”。琼台后面倚仗着百丈崖，前面则与双阙对峙，层层叠叠的山崖向外环绕着，四面没有任何的依附物。攀登琼台的人要从北峰悬坠下来，穿过看起来像是近在咫尺的山坳和山脊，再抓附着树枝仰头向上攀登，全程都是陡峭的山石和流沙，几乎没有落脚的地方。沿着琼台的边缘再次攀爬过去从南边下去，有一块突起来的石头，石头中间凹陷进去，好像是专门雕琢的神龛一样，取名叫“仙人座”。琼台奇异之处，在于悬空在十分陡峭的壑谷当中，四面都环绕着茂密的树林。双阙也是琼台外围中与琼台对峙的山崖，不从涧底重新攀登是上不去的。回想起二十年前，我与云峰和尚一起从桃源洞过来，溯双阙的外涧而进入，没能够穷尽这里的奥妙与神奇。这次才得以从崖顶上俯瞰，高处和深处的景色都没有遗漏。在桐柏宫吃饭以后，仍然下至山麓，往南沿着小路行走，渡过溪水，经十里，走到天台县、关岭的大路上。又向南走小路，在狭窄的山缝中走了十里，小路的左侧有座山峰像天柱一样高高地耸立着，问过后才知道是青山茁。又沿南来的溪水走了十里，在坪头潭的旅舍住宿。

十七日。从坪头潭向西南走了八里，到江司陈家。渡过溪水向左走，又行了八里，往南转入山中。越过两座小山岭，又行走了六里，在一道道盘绕回环的溪水中，忽然看见崖石高高地耸立着，南面是寒岩，东面是明岩。叫仆人先走，到明岩寺做饭，我们一行人则向南去寒岩。道路的左面全都是盘绕排列的陡崖，崖的中间有一个很高很大的洞。洞前蹲伏着石兔，石兔的嘴和耳朵都很完整。道路的右面则有大溪曲折环流，当中突起的一块岩石像举着的盖子，我感到很诧异。进入寒岩寺后，向僧人询问龙须洞、灵芝石，原来就是刚刚看到的洞石了。寒岩在寺后，岩上的洞宽敞宏伟有余，但不够小巧玲珑。从洞右的一个洞穴上去，观看鹊桥后出来。沿着原路走了一里后，往右就进了龙须洞。道路被荒草荆棘遮掩，向上攀登一里左右，好像上了九重天。龙须洞洞顶圆实、高耸，明亮宽阔，洞中斜靠着的一块岩石，非常像雁荡山的石梁，只是石梁的顶上有泉水从正中飞洒下来，和宝冠寺的芭蕉洞同出一辙。下山，仍然走到原路的路口，往东沿小溪而上，往南转到明岩寺。明岩寺就在岩石的正中，四周石崖环绕，只有东面八寸关有一条像线一样狭窄的通道。寺后的山洞有多处美景，洞的右边有石笋突起，虽然比不上灵芝石那样雄伟，但形态上也很得体、很精致。饭后，沿原路骑着马急行了三十里，返回坪头潭。又向北走了二十五里，渡过大溪，就是从西边的关岭过来的路，叫“三茅”。又向北走了五里，越过两条小涧，一直通向北山下，到护国寺住宿。

十八日。清晨，急着赶到桃源洞。桃源洞在护国寺东面二里的地方，往西距离桐柏宫只有八里。昨天游览桐柏宫的时候，没去桃源洞，因为想在返程中攀登万年寺时顺路游历，所以就先去寒岩和明岩，等到了护国寺后，才知道护国寺的两边有秀溪，顺着秀溪进入万年寺，还可以观赏九里坑的胜景，于是就又专门奔赴桃源洞。刚刚从涧口向里走了一里路左右，便到金桥潭。从金桥潭往上走，两面的山挨得越来越近，苍翠葱郁的绝壁、穹隆高耸的悬崖，层层叠叠的曲折环绕着，一条溪水从中穿过。顺溪流而上，拐了三次弯后走到溪水的尽头，数丈高的瀑布，从左边悬崖上直泻溪中。我以前来到瀑布下面，没有道路不能够上去，抬头仰望峙立在北面的穹隆的悬崖，溪流的左右、双鬟等众山峰妩媚地簇拥而立，山中的云霞和苍翠树木互相交融，使人不忍离去。这次我忽然从右面岩石间的草丛中，找到了一条石块堆砌的小路，于是没来得及招呼徐仲昭，就冒雨拨开荒草和荆棘上去。一级一级石阶走完了，又见堆砌的石块横接栈道，攀登到左面的岩石上，便到瀑布的上面了。又沿着瀑布流水向前走，一直到达北岩下，小路和石阶都断了，两股瀑布从岩石的左右两边分流而下。远望岩石的左边还残留着石阶，走过石阶，左边瀑布上面搭有石头桥，不过桥已经断了，不能够过去。遥望瀑布的上游，从东北狭窄的岩壁缝隙里流出来，壁缝窄得好像一条线，可以踩着水进入。估计里面的景物比不上右边岩石的瀑布，于是返回，从大石块中向西北方向攀登，到达峡窟下，看到一个非常阴森的深潭，四面的崖壁直逼峡底，没有路可以攀援。只能够从潭中向西面远看，望见石峡的里面还套着石峡，瀑布的上面还悬挂着瀑布，潭水全部从西北方深远不可见的地方流来，流到这里以后乱纷纷地坠落在曲折盘旋的悬崖峭壁之上，在阳光和雾气的掩映下呈现出岩石欲飞的奇景。过了很长时间，我返回去走到层层瀑布下面。徐仲昭因为没有找到路，正独自坐着观赏瀑布，于是一同返回护国寺。听说桃源洞溪口也有路可以去慈云、通元两寺，进入万年寺，路程比较近；不过因为秀溪的风光独特，所以吃过饭后仍然取道去秀溪。往西行四里，往北就转进了溪水范围，沿溪流走了三里路，慢慢地转向东走，这里名叫“九里坑”。九里坑的尽头，一条瀑布劈开东崖向下坠落，上面的山峰杂乱无章地紧密地耸立着，没有道路通上去。沿着西岭攀登，绕到瀑布的北边，回头观看瀑布的背面，两块岩石仿佛门一样插立在那里，里面有龙潭。又向东北攀登数里，越过山岭，山中忽然间辟出一块平地，五座山峰环绕拱立，中间就是万年寺，距离护国寺有三十里路。万年寺在天台山的西面，恰好与天封寺相对，石梁瀑布在两寺之中。寺中有很多古杉。在寺中吃过饭。又向西北走三里路，越过寺后的高岭。又向西攀登岭角十里，就到了腾空山。朝着牛牯岭下去，三里到达山脚,又向西翻过三道小山岭,一共行了十五里,出来到会墅。大路从南面伸展过来,看到包括天姥山在内的众多山峰,都已经穿越而过,以为会墅就是平地了。又往西北下三里,山水慢慢汇成溪流,顺着溪边走五里,宿于斑竹的旅舍。

天台山的溪流,我看见过的有:正东面的是水母溪;察岭的东北,华顶峰的南边有分水岭,不太高;水母溪向西流形成了石梁瀑布,向东流经天封寺,绕过摘星岭向东流出松门岭,从宁海县注入大海。正南边是寒风阙的溪流,向下流到国清寺,与寺东佛陇的水汇合,从天台县城西流进大溪。国清寺的东面是螺溪,发源于仙人鞋,向下坠入螺蛳潭,再流出与幽溪汇合,自县城的东面流进大溪;东边还有楢溪诸水,我没去那里。在国清寺的西边,大的是瀑布水,瀑布水顺着龙王潭向西流,流过桐柏山时叫做女梭溪,向前流经三个水潭,然后坠落下去成为瀑布,便是清溪的源头所在;再向西边还有琼台、双阙的溪水,这个溪应该是发源在万年寺的东南面,向东流过罗汉岭,注入深坑而又汇集成百丈崖的龙潭,龙潭里的水绕过琼台流出来,与青溪汇合;再向西去便是桃源洞的溪水了,溪水的上游是双重的瀑布,东西交汇而流,源头应是通元寺的左右,未能探究到它的底细;再向西边走是秀溪水,秀溪水发源于万年寺所在的山岭,向西边流下去成为龙潭的瀑布,再向西流成了九里坑,一直流到秀溪的后面再向东南方向流去。各条溪水都从青溪的西边,向东南方向流入大溪。另外正西面的关岭、王渡等溪流,我没能亲见;再从这个地方向北有会墅岭的各条溪流,也是正西面的河流,往西北流入新昌县境内;再北面则有福溪、罗木溪,全部发源于天台山的北面,然后向西流汇成新昌大溪,这个地方我也没去。

游五台山日记

【解题】

五台山在山西省东北部，东北—西南走向，山的主体在五台县东北，由东、西、南、北、中五座山峰环抱而成。这些山峰顶部平坦宽阔，如垒土之台，所以被称作“五台”。山中寺庙很多，古建筑群规模宏大，是中国四大佛教名山之一。同时山青水绿，风景十分秀丽，为全国重点风景名胜区。

徐霞客于明崇祯六年（癸酉）七月二十八日自明都城北京出发，八月初四到初八（1633年9月6日至10日）游览了五台山。本篇游记记录了他游南台（锦绣峰）、西台（挂月峰）、中台（翠谷峰）、北台（叶斗峰）的经历。跟作者别的名山游记比起来，本篇对山上寺庙建筑的着力描绘尤其突出。

【原文】

癸酉七月二十八日　出都为五台游。越八月初四日，抵阜平南关。山自唐县来，至唐河始密，至黄葵渐开，势不甚穹窿矣。从阜平西南过石梁，西北诸峰复嵱嵷起。循溪左北行八里，小溪自西来注，乃舍大溪，溯西溪北转，山峡渐束。又七里，饭于太子铺。北行十五里，溪声忽至。回顾右崖，石壁数十仞，中坳如削瓜直下。上亦有坳，乃瀑布所从溢者，今天旱无瀑，瀑痕犹在削坳间。离涧二三尺，泉从坳间细孔泛滥出，下遂成流。再上，逾鞍子岭。岭上四眺，北坞颇开，东北、西北，高峰对峙，俱如仙掌插天，惟直北一隙少杀。复有远山横其外，即龙泉关也，去此尚四十里。岭下有水从西南来，初随之北行，已而溪从东峡中去。复逾一小岭，则大溪从西北来，其势甚壮，亦从东南峡中去，当即与西南之溪合流出阜平北者。余初过阜平，舍大溪而西，以为西溪即龙泉之水也，不谓西溪乃出鞍子岭坳壁，逾岭而复与大溪之上流遇，大溪则出自龙泉者。溪有石梁曰万年，过之，溯流望西北高峰而趋。十里，逼峰下，为小山所掩，反不睹嶙峋之势。转北行，向所望东北高峰，瞻之愈出，趋之愈近，峭削之姿，遥遥逐人，二十里之间，劳于应接。是峰名五岩寨，又名吴王寨，有老僧庐其上。已而东北峰下，溪流溢出，与龙泉大溪会，土人构石梁于上，非龙关道所经。从桥左北行八里，时遇崩崖矗立溪上。又二里，重城当隘口，为龙泉关。

初五日 进南关，出东关。北行十里，路渐上，山渐奇，泉声渐微。既而石路陡绝，两崖巍峰峭壁，合沓攒奇，山树与石竞丽错绮，不复知升陟之烦也。如是五里，崖逼处复设石关二重。又直上五里，登长城岭绝顶。回望远峰，极高者亦伏足下，两旁近峰拥护，惟南来一线有山隙，彻目百里。岭之上，巍楼雄峙，即龙泉上关也。关内古松一株，枝耸叶茂，干云俊物。关之西，即为山西五台县界。下岭甚平，不及所上十之一。十三里，为旧路岭，已在平地。有溪自西南来，至此随山向西北去，行亦从之。十里，五台水自西北来会，合流注滹沱河。乃循西北溪数里，为天池庄。北向坞中二十里，过白头庵村，去南台止二十里，四顾山谷，犹不可得其仿佛。又西北二里，路左为白云寺。由其前南折，攀跻四里，折上三里，至千佛洞，乃登台间道。又折而西行，三里始至。

初六日　风怒起，滴水皆冰。风止日出，如火珠涌吐翠叶中。循山半西南行，四里，逾岭，始望南台在前。再上为灯寺，由此路渐峻。十里，登南台绝顶，有文殊舍利塔。北面诸台环列，惟东南、西南少有隙地。正南，古南台在其下，远则盂县诸山屏峙，而东与龙泉峥嵘接势。从台右道而下，途甚夷，可骑。循西岭西北行十五里，为金阁岭。又循山左西北下，五里，抵清凉石。寺宇幽丽，高下如图画。有石为芝形，纵横各九步，上可立四百人，面平而下锐，属于下石者无几。从西北历栈拾级而上，十二里，抵马跑泉。泉在路隅山窝间，石隙仅容半蹄，水从中溢出，窝亦平敞可寺，而马跑寺反在泉侧一里外。又平下八里，宿于狮子窠。

初七日　西北行十里，度化度桥。一峰从中台下，两旁流泉淙淙，幽靓迥绝。复度其右涧之

桥，循山西向而上，路欹甚。又十里，登西台之顶。日映诸峰，一一献态呈奇。其西面，近则闭魔岩，远则雁门关，历历可俯而挈也。闭魔岩在四十里外，山皆陡崖盘亘，层累而上，为此中奇处。入叩佛龛，即从台北下，三里，为八功德水。寺北面，左为维摩阁，阁下二石耸起，阁架于上，阁柱长短，随石参差，有竟不用柱者。其中为万佛阁，佛俱金碧旃檀，罗列辉映，不啻万尊。前有阁二重，俱三层，其周庐环阁亦三层，中架复道，往来空中。当此万山艰阻，非神力不能运此。

从寺东北行，五里，至大道，又十里，至中台。望东台、南台，俱在五六十里外，而南台外之龙泉，反若更近，惟西台、北台，相与连属。时风清日丽，山开列如须眉。余先趋台之南，登龙翻石。其地乱石数万，涌起峰头，下临绝坞，中悬独耸，言是文殊放光摄影处。从台北直下者四里，阴崖悬冰数百丈，曰“万年冰”。其坞中亦有结庐者。初寒无几，台间冰雪，种种而是。闻雪下于七月二十七日，正余出都时也。

行四里，北上澡浴池。又北上十里，宿于北台。北台比诸台较峻，余乘日色，周眺寺外。及入寺，日落而风大作。

初八日　老僧石堂送余，历指诸山曰："北台之下，东台西，中台中，南台北，有坞曰台湾，此诸台环列之概也。其正东稍北，有浮青特锐者，恒山也。正西稍南，有连岚一抹者，雁门也。直南诸山，南台之外，惟龙泉为独雄。直北俯内外二边，诸山如蓓蕾，惟兹山之北护，峭削层叠，嵯峨之势，独露一班。此北台历览之概也。此去东台四十里，华岩岭在其中。若探北岳，不若竟由岭北下，可省四十里登降。"余颔之。别而东，直下者八里，平下者十二里，抵华岩岭。由北坞下十里，始夷。一涧自北，一涧自西，两涧合而群峰凑，深壑中"一壶天"也。循涧东北行二十里，曰野子场。南自白头庵至此，数十里内，生天花菜，出此则绝种矣。由此，两崖屏列鼎峙，雄峭万状，如是者十里。石崖悬绝中，层阁杰起，则悬空寺也，石壁尤奇。此为北台外护山，不从此出，几不得台山神理云。

【今译】

癸酉年七月二十八日。自都城北京出发作五台山之游。八月初四后，便来到阜平县的南关。山峰从唐县延伸过来，一直到唐河才逐渐地密集，到了黄葵则又渐渐地散开了，山势并不太高太大。从阜平县往西南走过石桥，西北方那些众多的山峰又高低起伏地耸立起来。沿着溪流的左岸向北行走了八里，有一条小溪流从西边流过来注入，于是我不再沿着大溪，而是顺着西边的这条小溪流往北走，山谷渐渐地变得狭窄起来。又走了七里，在太子铺吃饭。向北行走了十五里，忽然听到有溪流的声音。我回头看看右边的那些山崖，有数十丈高的石壁，中间的山坳好像是削皮的瓜直直向下而去。山崖的上面也有坳地，是瀑布流经的地方，今年因天旱而没有水，但是以前瀑布冲刷的痕迹依然留在削坳中。离涧底二三尺的地方，有泉水从坳中的细孔中流溢出来，在下面汇合形成溪流。再向上走，越过鞍子岭。站在岭上向四周眺望，则发现北面的山坞开阔些，东北、西北，高高的山峰互相对峙，好像是直入云天的仙人巨掌，只有正北方有一隙山坞稍微差一点儿。再远些有山横贯在众山峰的外面，那就是龙泉关了，距离此地还有将近四十里远。山岭下有一股溪水从西南方向流过来，我开始顺着它往北行走，不久溪水从东边的峡谷中流走了。我于是又翻越过一座小山岭，便发现一条从西北方流过来的大溪流，水势非常壮观，也从东南峡谷中流走，想来它应该是和西南流来的小溪汇合之后流出阜平县北部的。我开始经过阜平县的时候，便离开了那条大溪流向西走去，以为西边的溪流是从龙泉关流过来的，但是没有想到溪水却是出自鞍子岭的坳壁，我翻越过那些山岭之后又和大溪的上游相遇了，大溪才是从龙泉关流出来的。溪流之上的石梁叫万年桥，过了桥，我又溯着溪流朝着西北的高峰走去。行进十里，一直到达高峰脚下，高大的山峰被小小的山丘所遮掩，反而看不到那山石的重叠高低、错落不平的气势了。转而朝北走去，刚才所看到的东北边的高峰便显得突出了，越走越近，那种高峻陡峭的形态，越发像是远远地追人而来似的。在这二十里的路程中，这些景物真让人目不暇接。这座山峰叫做“五岩寨”，又名“吴王寨”，有一个老和尚在山峰上住着。不久我就来到了东北边的高峰下面，溪水向外流淌着，和龙泉关流来的大溪汇合，当地人在溪上搭有石桥，但这并不是去龙泉关的路。从石桥的左边向北行八里，不时遇到崩塌的崖石矗立溪边。又走了二里，一座重镇挡在关隘口，这便是龙泉关。

初五日。向南进入龙泉关，从东出关。向北行十里，道路慢慢向上延伸，奇异的山峰逐渐显现在眼前，泉水声也渐渐听不到了。不久石路也一下子没有了，道路两边的山崖峰高壁峭，重重叠叠，真是奇景聚集，山中的树木和岩石争奇斗艳，相互交错如同锦绣，登山之劳累消失殆尽！在如此的美景中行走五里，崖石狭窄处设有两道石关。又笔直地向上走了五里路，登上长城岭的绝顶。回头眺望远处的山峰，连那最高的山峰也都低伏在脚下，近处两旁的山峰簇拥而来，只有南部有一线缝隙，从缝隙中放眼可看到百里之外。长城岭上，高楼巍峨地耸立着，这是龙泉上关。关内有一株古松，枝繁叶茂，直插云霄，异常秀美。在龙泉上关的西面，就是山西省五台县边界。下岭的路很平，坡度不到上岭的十分之一。走了十三里路，是旧路岭，已经到平地了。有一条溪水自西南流来，流到此处顺着山势向西北流去，我也随溪流前行。十里路后，五台水从西北流来汇合，一同注入滹沱河。于是沿着西北方向的溪水走了几里路，到达天池庄。向北在坞中走了二十里，经过白头庵村，距离南台只有二十里了，环视山谷，仍看不出它的概貌。又向西北走了二里，道路的左侧是白云寺。从寺的前面向南转，往上攀登了四里，又转来转去地上了三里，来到千佛洞，这是登上五台山的小径。又转而向西走，走了三里后才停下来。

初六日。狂风怒号，滴水成冰。风停了，太阳仿佛火球一般从青翠的山林中喷薄而出。沿着山腰向西南行走四里路之后，翻越山岭，才看到前面的南台。再上去便是灯寺了，从这里开始山路逐渐陡峻起来。走十里，登上南台绝顶，顶上有文殊菩萨的舍利塔。北面其他各台环抱耸列，只有东南、西南方稍微有些空隙。正南面，下面是古南台，远处则有盂县的群山如同屏障般地峙立着，并且，东端还和龙泉关高峻的峰峦相连接。顺着南台右侧的道路下去，地势非常平坦，可以骑马。沿着西岭向西北行走十五里，就是金阁岭。又顺着金阁岭左侧向西北下行，行五里，来到清凉石。清凉寺庙宇深幽，环境秀丽，高低错落，美如图画。有一块石头像灵芝，长宽都是九步，上面可以站四百个人，上面平整但是下面收缩，和下面石头相连的部分不多。从西北边穿越栈道，沿着石阶向上行走十二里，到达马跑泉。马跑泉在路边的山窝之中，石缝只能够容下半只马蹄，泉水从石缝中溢出来，山窝平坦宽敞得可以盖建寺庙，但是马跑寺反而建在泉侧一里之外。又平缓地下行了八里，在狮子窠住下来。

初七日。往西北行走十里，过化度桥。一座山峰从中台延伸下来，山峰两边泉水淙淙地流着，景色幽静到极点。又走过山峰右涧上的桥，沿着山峰向西而上，山路十分倾斜。又走了十里，登上西台顶，阳光辉映下的群峰，一一呈现自己的奇异风姿。西台的西面，近处是闭魔岩，远处是雁门关，座座山峰都历历在目，好像俯下身就能抓住似的。闭魔岩在四十里外，奇特之处在于：山上全部是盘旋横亘的陡崖，层层叠叠地堆砌上去。进寺叩拜佛像之后，就顺着台北往下走三里路后，到达八功德水。寺的北面，左边是维摩阁，阁下耸立着两块石头，阁就盖在石头上，阁柱的长短随着石头的高低而参差不齐，有的竟不用柱子。正中的是万佛阁，佛像全部用檀香木制作，金碧辉煌，层层排列而互相映衬，看去不下一万尊。万佛阁的前面有两排阁楼，都是三层，阁楼周围环绕的楼阁也是三层，各个阁楼之间架有悬空的通道，似在半空中往来行走。在这险阻重重的万山之中，要不是神力又怎么能够把阁楼建在这里呢！

顺着寺庙向东北走五里路后，上了大路，又走了十里，到达中台。遥望东台和南台，都在五六十里以外，但是南台之外的龙泉关，反而更近了，因为西台、北台与龙泉关的山脉相连。此时风清日丽，两边的山如同眉毛分开成列。我先去中台的南面，登上龙翻石。这里乱石遍野，堆积成峰头，下面是非常深的山坞，峰头悬空耸立，传说是文殊菩萨显身的地方。从中台向北径直下行了四里，背阴的岩壁上悬挂着几百丈的结冰，叫做“万年冰”。在这山坞中也有结庐居住的人家。天气变冷还没有几天，五台山的冰雪，竟已这样。听说七月二十七日下的雪，正是我从京城出发的日子。

行了四里路，向北攀上澡浴池。又向北上行十里，在北台住宿。北台比其他各台都陡峭险峻，我趁着天还没黑，在寺外四处眺望。等进到寺中，太阳落山后刮起了大风。

初八日。老僧人石堂送我出来，他指着一座座山峰说：“北台的下面，东台的西面，中台的正中，南台的北面，有山坞叫做‘台湾’（今台怀镇），这是众台大概的地理位置。这里正东稍北些，有一座特别尖锐突耸的青山，那就是恒山了。正西稍南些，和云雾相连的山峰，是雁门关一带的山峰。一直向南延伸的群山，除了南台之外，只有龙泉峰雄压群山。正向北俯视内外两边，群山如同花蕾一般，只有这座山从北面护着群山，陡峭层叠，山势高峻，独见一斑。这就是北台的大概面貌了。此处距离东台有四十里，华岩岭就在途中。如果探访北岳恒山，还不如直接沿着华岩岭朝北向下走，可以省掉四十里的山路。”我点头称是。

和石堂告别之后向东走去，陡直走了八里山路，又平缓地向下走了十二里山路，便来到华岩岭。再沿着北坞向下走了十里，才到达平路。这里有一道涧沟从北面伸过来，另一道从西面伸过来，两道涧沟的合拢之处群峰攒集，成为高山深壑之中的"一壶天"。沿着涧沟向东北行走了二十里，到了野子场。从南边的白头庵一直到这个地方，数十里都长着天花菜，但出了这里就没有了。从这里开始，两旁的山崖如同屏障般排列鼎峙，雄壮峭峻而又千姿百态，在如此的景观中行走了十里。石崖绝壁中，层层楼阁突起，那便是悬空寺了，石壁尤为奇特。这是北台外围的护山，如果不从这个地方出山，几乎体会不到五台山的神韵和情理。

游恒山日记

【解题】

恒山，又称元岳、太岳山，位于山西省浑源县城南，为中华五岳之北岳。分东、西两峰，东为天峰岭，西为翠屏山，双峰对峙，浑水中流。山上名胜古迹甚多，为国家重点风景名胜区。

徐霞客在明崇祯六年（癸酉）八月游了五台山后，于同月初九至十一日（1633 年 9 月 9 日至 11 日）游了恒山。本篇游记写景、抒情结合，文字优美，恒山的自然景观和人文景观在作者笔下均有显现，并通过游山经历刻画出攀登者不畏艰险的求索精神。

【原文】

去北台七十里，山始豁然，曰东底山。台山北尽，即属繁峙界矣。

初九日 出南山。大溪从山中俱来者，别而西去。余北驰平陆中，望外界之山，高不及台山十之四，其长缭绕如垣，东带平邢，西接雁门，横而径者十五里。北抵山麓，渡沙河，即为沙河堡。依山瞰流，砖甃高整。由堡西北七十里，出小石口，为大同西道；直北六十里，出北路口，为大同东道。余从堡后登山，东北数里，至峡口，有水自北而南，即下注沙河者也。循水入峡，与流屈曲，荒谷绝人。数里，义兴寨。数里，朱家坊。又数里，至葫芦嘴。舍涧登山，循嘴而上，地复成坞，溪流北行，为浑源界。又数里，为土岭，去州尚六十里，西南去沙河，共五十里矣，遂止居民同姓家。

初十日 循南来之涧北去三里，有涧自西来合，共东北折而去。余溯西涧入，又一涧自北来，遂从其西登岭，道甚峻。北向直上者六七里，西转，又北跻而上者五六里，登峰两重，造其巅，是名箭筸岭。自沙河登山涉涧，盘旋山谷，所值皆土魁荒阜；不意至此而忽跻穹窿，然岭南犹复阿蒙也。一逾岭北，瞰东西峰连壁隤，翠蜚丹流。其盘空环映者，皆石也，而石又皆树；石之色一也，而神理又各分妍；树之色不一也，而错综又成合锦。石得树而嵯峨倾嵌者，幕以藻绘而愈奇；树得石而平铺倒蟠者，缘以突兀而尤古。如此五十里，直下至阬底，则奔泉一壑，自南注北，遂与之俱出坞口，是名龙峪口，堡临之。村居颇盛，皆植梅杏，成林蔽麓。既出谷，复得平陆。其北又有外界山环之，长亦自东而西，东去浑源州三十里，西去应州七十里。龙峪之临外界，高卑远近，一如东底山之视沙河、峡口诸山也。于是沿山东向，望峪之东，山愈嶙嶒斗峭，问知为龙山。龙山之名，旧著于山西，而不知与恒岳比肩；至是既西涉其阃域，又北览其面目，从不意中得之，可当五台桑榆之收矣。东行十里，为龙山大云寺，寺南面向山。又东十里，有大道往西北，直抵恒山之麓，遂折而从之，去山麓尚十里。望其山两峰亘峙，车骑接轸，破壁而出，乃大同入倒马、紫荆大道也。循之抵山下，两崖壁立，一涧中流，透罅而入，逼仄如无所向，曲折上下，俱成窈窕，伊阙双峰，武彝九曲，俱不足以拟之也。时清流未泛，行即溯涧。不知何年两崖俱凿石坎，大四、五尺，深及丈，上下排列，想水溢时插木为阁道者，今废已久，仅存二木悬架高处，犹栋梁之巨擘也。三转，峡愈隘，崖愈高。西崖之半，层楼高悬，曲榭斜倚，望之如蜃吐重台者，悬空寺也。五台北壑亦有悬空寺，拟此未能具体。仰之神飞，鼓勇独登。入则楼阁高下，槛路屈曲。崖既矗削，为天下巨观，而寺之点缀，兼能尽胜。依岩结构，而不为岩石累者，仅此。而僧寮位置适序，凡客坐禅龛，明窗暖榻，寻丈之间，肃然中雅。既下，又行峡中者三四转，则洞门豁然，峦壑掩映，若别有一天者。又一里，涧东有门榜三重，高列阜上，其下石级数百层承之，则北岳恒山庙之山门也。去庙尚十里，左右皆土山层叠，岳顶杳不可见。止门侧土人家，为明日登顶计。

十一日 风翳净尽，澄碧如洗。策杖登岳，面东而上，土冈浅阜，无攀跻劳。盖山自龙泉来，凡三重。惟龙泉一重峭削在内，而关以外反土脊平旷；五台一重虽崇峻，而骨石耸拔，俱在东底山一带出峪之处；其第三重自峡口入山而北，西极龙山之顶，东至恒岳之阳，亦皆藏锋敛锷，一临北面，则峰峰陡削，悉现岩岩本色。一里转北，山皆煤炭，不深凿即可得。又一里，则土石皆赤，有虬松离立道旁，亭曰望仙。又三里，则崖石渐起，松影筛阴，是名虎风口。于是石路萦回，始循崖乘峭而上。三里，有杰坊曰“朔方第一山”，内则官廨厨井俱备。坊右东向拾级上，崖半为寝宫，宫北为飞石窟，相传真定府恒山从此飞去。再上，则北岳殿也。上负绝壁，下临官廨，殿下云级插天，庑门上下，穹碑森立。从殿右上，有石窟倚而室之，曰会仙台。台中像群仙，环列无隙。余时欲跻危崖，登绝顶。还过岳殿东，望两崖断处，中垂草莽者千尺，为登顶间道，遂解衣攀蹑而登。二里，出危崖上，仰眺绝顶，犹杰然天半，而满山短树蒙密，槎枒枯竹，但能钩衣刺领，攀践辄断折，用力虽勤，若堕洪涛，汩汩不能出。余益鼓勇上，久之棘尽，始登其顶。时日色澄丽，俯瞰山北，崩崖乱坠，杂树密翳。是山土山无树，石山则有；北向俱石，故树皆在北。浑源州城一方，即在山麓，北瞰隔山一重，苍茫无际；南惟龙泉，西惟五台，青青与此作伍；近则龙山西亘，支峰东连，若比肩连袂，下扼沙漠者。既而下西峰，寻前入峡危崖，俯瞰茫茫，不敢下。忽回首东顾，有一人飘摇于上，因复上其处问之，指东南松柏间。望而趋，乃上时寝宫后危崖顶。未几，果得径，南经松柏林。

先从顶上望，松柏葱青，如蒜叶草茎，至此则合抱参天，虎风口之松柏，不啻百倍之也。从崖隙直下，恰在寝官之右，即飞石窟也，视余前上隘，中止隔崖一片耳。下山五里，由悬空寺危崖出。又十五里，至浑源州西关外。

【今译】

离开北台七十里，山谷渐渐开阔起来，这里有一座山叫东底山。五台山的北边尽头，就是繁峙县境了。

初九日。走出南山。伴我走出南山的大溪此时与我分道扬镳，向西流去。我向北在平地上疾步而行，远望平地外部的山峦，高度还不到五台山的十分之四，但山脉绵长，如矮墙一样缭绕着，东边和平邢连接，西边和雁门连接，横穿平地十五里。向北走到山麓，渡过沙河，便是沙河堡。沙河堡傍靠山麓、俯瞰河流，用砖砌成的围墙既高大又整齐。从沙河堡向西北方向走七十里，走出小石口，便是大同府西边的大路；一直往北行走六十里，再出北路口，是大同府东边的大路。我从沙河堡的后面登山，往东北方向走了几里，到峡口，看见一股流水从北向南流去，最后注入沙河。我顺着水流走入峡谷，道路随着流水弯转曲折，峡谷荒凉，空无人烟。又走数里，到兴义寨。再走数里，到朱家坊。又走数里，到葫芦嘴。离开沟涧又登山，沿着山嘴向上攀行，地势又变成了山坞。随着溪流向北行进，便进入浑源县境内。又向前走了数里，到达土岭，距离州城还有六十里，西南距离沙河，共五十里，于是我就停下来，在一户姓同的百姓家留宿。

初十日。我顺着从南延伸过来的沟涧向北走了三里，发现有道沟涧自西边过来与之会合，然后它们朝着东北方向延伸。我逆着西边的那条沟涧向里面走，又发现有道沟涧从北边延伸过来，于是从它的西边登上山岭，道路很陡峭。朝北直上了六七里路，西转后，又向北攀登五六里，登越了两重山峰，直接到达山峰的顶部，山峰名叫“箭箪岭”。从沙河开始登山越涧，在山谷中盘旋向前，走过的全是土堆、荒山；不料到了这里地势突然升高，山岭也变得高大起来，只是岭南的景物故态依旧。一翻到岭北，俯瞰东西两边的连绵峰峦，崖壁崩塌，红绿交相辉映，那盘旋映照空中的，全部是岩石，而岩石上全都长有树木；岩石的颜色都一样，但是自然形态与纹理又各得其妙；树木的颜色不一，各种颜色互相交错，如同彩色锦缎。岩石上长着高大且倾斜的树木，如同覆盖着美丽的图画愈发显得奇妙；有的树干匍匐在岩石上，曲折环绕，由于山势突兀显得更加古雅。在这样的景致中走了五十里，一直下行到大土山底，沟壑中有一股奔流的泉水，从南向北流去，于是我循着泉水走出龙峪口，龙峪口对面有一村庄。村庄比较大，家家都种植梅树、杏树，成片的果林掩映着山麓。走出山谷，又到了平地。平地北部群山环绕，从东向西延伸，这里东距浑源州三十里，西距应州七十里。站在龙峪口朝外望，高低远近，如同在东底山看沙河、峡口的群山。于是沿着山向东走，远看龙峪口东边，山势更加高峻陡峭，询问之后得知是龙山。龙山这个名字，旧书上写着在山西省，殊不知和恒山并肩相靠；走到这里时已经从西边翻越了龙山内境，又从北面观览了龙山的面貌，在无意之中得以游览龙山，可算作游五台山的意外收获。由此往东行十里，到龙山大云寺，寺南有山。又向东走了十里，有条大路通向西北，直达恒山脚下，于是转从大路走，距离恒山之麓还有十里。遥望恒山，两座山峰横贯对峙，路上车马络绎不绝，穿山而过，原来这条路是从大同府到倒马关、紫荆关的大路。沿着大路来到恒山下，两旁崖壁耸立，一条涧水从中流过，穿过如同缝隙的峡谷往里走，狭窄得几乎不能通过，山涧弯弯曲曲、崖壁高高低低，幽深雅致，就连伊阙两山秀丽的风光，武夷山回环旋转的九曲溪水，都不能相比。此时清澈的溪流还没有上涨，可以溯着溪流从涧中行走。不知哪一年在两边的崖壁上都凿了石坎，有四、五尺宽，近一丈深，上下排列着，想来是涨水时插木头修栈道用的，至今已经废弃很久了，只剩下两根木头悬空架在高处，好似中流砥柱。转了三个弯后，峡谷越来越窄了，崖壁也越来越高了。西边崖壁的半腰，层叠的楼阁悬在高空，弯转曲折的房屋斜靠着山崖，远望好像海市蜃楼中重叠的亭台，这就是悬空寺。五台山北面的壑谷中也有悬空寺，但和这里的相比就不能够算作完美了。抬头望去令人神往，鼓足勇气独自攀登。进寺之后则楼阁高低错落，围着栏杆的小路弯转曲折。崖壁异常高峻陡峭，称得上天下奇观，再加上有悬空寺点缀，原来的胜景更加完美无缺。傍靠岩壁建造楼阁，却能不受岩石的限制，只有悬空寺了。而且僧人居室位置次第适当，接待来客的地方和供奉佛像的小屋，都窗房明净、卧榻温暖，在这小小的范围之内，显得庄严肃穆而舒适幽雅。从悬空寺下来，又在峡谷中转了三四道弯后，峡谷口豁然开阔，峰峦壑谷互相掩映，好似另一番天地。

又走了一里，山涧的东面有三道悬挂着匾额的大门，高高地矗立在大山上，门下有数百级石阶，这就是北岳恒山庙的山门。离庙还有十里，左右两边都是层层叠叠的土山，北岳顶还遥不可及。在山门旁当地居民家中住下，为明天攀登北岳顶峰做准备。

十一日。风吹过后，云消雾散，天空明净如洗。拄着手杖攀爬北岳恒山，朝东向上行走，土冈低缓，不怎么劳累。山脉大体上从龙泉关延伸过来，一共有三重。只有龙泉关山势陡峭，关外反而是平坦宽阔的泥土山脊；五台山这一重虽然高峻，但是矗立挺拔的岩石，都在东底山一带山谷出口处；第三重，顺着峡谷延伸到山中，然后往北去，西到龙山顶，东到恒山南面，都像不露锋刃的刀剑一样收敛，一到达北面，则每座山峰都很陡峭，显露出峻峭的本来面目。走一里后往北转，山里都是煤炭，不用深挖就可以采获。又走一里，土石都变成红色，一棵棵盘曲得如同虬龙一样的松树伫立在路旁，有一个望仙亭。又走三里，崖石逐渐突起，松影如同光亮从筛孔中透下来一样，这里就是“虎风口”。从此处开始石路曲折盘旋，于是我沿着山崖迎着峭壁向上攀登三里，有一块特大的牌坊，题名“朔方第一山”，坊内有官署，厨房水井一应俱全。坊右边往东顺台阶上去，山崖的半腰有一处寝宫，寝宫北面是飞石窟，相传真定府的恒山是从这里飞去的。再上去则是北岳殿了。此殿上靠绝壁，下临官署，殿前的石阶直通云天，正殿两侧的房门上下，林立着高大的石碑。从殿右上去，有石窟相依如房舍，叫“会仙台”。台中群仙的塑像，把石窟环列得没有一点空隙。我这时打算上陡崖，登绝顶。返回经过北岳殿东面，远远望着两座山崖的断裂之处，发现中间杂草丛生，向下垂吊着，那是攀登绝顶的小道，于是我脱掉外衣，攀扯、践踏着那些杂草向上攀登。走了二里山路，便来到陡崖的上面，抬头眺望那个绝顶，发现它仍然高高地耸立在半空中，然而满山的矮树十分稠密，斜出的树枝和枯竹，常钩住我的衣服、刺破我的脖子，一扯就断了，虽然我十分用力地向上攀登，但是却像落进了汹涌的浪涛中一样，只能被它吞没而不能够穿越过去。我愈发鼓足勇气向上爬，用了很长时间才走完这荆棘丛生的道路，终于登上了恒山绝顶。这时天气晴朗而且无比明丽，我俯瞰恒山的北边，看到崩起的崖石向下坠陷，稠密的杂草和树丛覆盖四处。这里土山上没有树木，而石山上却有树木；北边都是石头山，所以树木都生长在北边。浑源州城一带，就在山麓，向北边看下去隔着一重山，苍茫一片，看不到边际；南边是龙泉关，西边是五台山，只见一片青翠的山峰与恒山相伴为伍；近处的是往西横贯的龙山，龙山的支脉向东伸延过去，与东边的山峰紧密相连着，遏阻住下面的沙漠。不久，我便下行到西边的山峰了，又去寻找先前进入峡谷的陡崖，向下望去只见茫茫一片，不敢下去。猛然回头向东望去，发现有一个人轻快地走着，我于是上前询问他，他指了指东南的松柏。我便朝着松柏奔过去，原来是上山时寝宫背后的陡崖顶。没过多久，我果然找到了小路，往南穿过松柏林。先前我在绝顶上眺望，青葱的松柏，好像蒜叶、草茎一样细小，到了这里才知道是两人合抱的参天大树，和虎风口的松柏相比，要大上百倍。我又顺着山崖缝隙下行，恰好是寝宫的右侧，就是飞石窟，仔细地观看我先前所登的狭窄险要之处，发现中间只隔了一块崖石。下山行五里路，从悬空寺的陡崖出山。又走了十五里，便到了浑源州的西关外。

游衡山日记

【解题】

衡山，又名岣嵝山、虎山，位于湖南省中部，湘江西面。主体部分在衡阳市南岳区和衡山、衡阳两县境内。衡山为五岳中的南岳，山势雄伟，有大小山峰七十二座。主峰祝融峰以及紫盖峰、石廪峰、天柱峰和芙蓉峰，最为著名。衡山历来为风景胜地和宗教名山，名胜古迹甚多。祝融峰之高、藏经殿之秀、方广寺之深、水帘洞之奇，称为“南岳四绝”。

《徐霞客游记》中的《楚游日记》记录了作者在明崇祯十年（丁丑）正月十一至闰四月初七（1637 年 2 月 5 日至 5 月 30 日）纵游湖南一些地区的经历。《游衡山日记》选自《楚游日记》中记录衡山游程的部分，时间为是年正月二十一日至二十八日（公历 2 月 15 日至 22 日）。

【原文】

二十一日　四鼓，月明，舟人即促下舟。二十里，至雷家埠，出湘江，鸡始鸣。又东北顺流十五里，低衡山县。江流在县东城下。自南门入，过县前，出西门。三里，越桐木岭，始有大松立路侧。又二里，石陂桥，始夹路有松。又五里，过九龙泉，有头巾石。又五里师姑桥，山陇始开，始见祝融北峙，然夹路之松，至师姑桥而尽矣。桥下之水东南去。又五里入山，复得松。又五里，路北有“子抱母松”。大者二抱，小者分两岐。又二里，越佛子坳，又二里，上俯头岭，又一里则岳市矣。过司马桥，入谒岳庙，出饭于庙前。问水帘洞在山东北隅，非登山之道；时才下午，犹及登顶，密云无翳，恐明日阴晴未卜。踌躇久之，念既上，岂能复迂道而转，遂东出岳市，即由路亭北依山转岐。初，路甚大，乃湘潭入岳之道也。东北三里，有小溪自岳东高峰来，遇樵者引入小径。三里，上山峡，望见水帘布石崖下。二里，造其处，乃瀑之泻于崖间者，可谓之“水帘”，不可谓之“洞”也。崖北石上大书“朱陵大沥洞天”，并“水帘洞”“高山流水”诸字，皆宋、元人所书，不辨其人款。引者又言，其东九真洞，亦山峡间出峡之瀑也。下山又东北二里，登山循峡，逾一隘，中峰回水绕，引者以为九真矣。有樊山者至，曰：“此寿宁宫故址，乃九真下流。所云洞者，乃山环成坞，与此无异也，其地在紫盖峰之下。逾山而北尚有洞，亦山坞，渐近湘潭境。”予见日将暮，遂出山，十里，僧寮已近，还宿庙。

二十二日 力疾登山。由岳庙西度将军桥，岳庙东西皆涧。北入山一里，为紫云洞，亦无洞，山前一冈当户环成耳。由此上岭一里，大石后度一脊，里许，路南有铁佛寺。寺后跻级一里，路两旁俱细竹蒙茸。上岭，得丹霞寺。复从寺侧北上，由络丝潭北下一岭，又循络丝上流之涧一里，为宝善堂。其处涧从东西两壑来，堂前有大石如劈，西涧环石下，出玉板桥，与东涧合而南。宝善界两涧中，去岳庙已五里。堂后复蹑蹬一里，又循西涧岭东平行二里，为半云庵。庵后渡涧西，蹑级直上二里，上一峰，为茶庵。又直上三里，逾一峰，得半山庵，路甚峻。由半山庵丹霞侧北上，竹树交映，青翠滴衣。竹中闻泉声淙淙。自半云逾涧，全不与水遇，以为山高无水，至是闻之殊快。时欲登顶，过诸寺俱不入。由丹霞上三里，为湘南寺，又二里，南天门。平行东向二里，分路。南一里，飞来船、讲经台。转至旧路，又东下半里，北度脊，西北上三里，上封寺。上封东有虎跑泉，西有卓锡泉。

二十三日　上封。

二十四日　上封。

二十五日　上封。

二十六日 晴。至观音崖，再上祝融会仙桥，由不语崖西下。八里，分路。南茅坪。北二里，九龙坪，仍转路口。南一里，茅坪。东南由山半行，四里渡乱涧，至大坪分路。东南上南天门。西南小路直上四里，为老龙池，有水一池在岭坳，不甚澄，其净室多在岭外。西南侧刀之西，雷祖之东分路。东二里，上侧刀峰。平行顶上二里，下山顶，度脊甚狭。行赤帝峰北一里，绕其东，分路。乃南由坳中东行，一里，转出天柱东，遂南下。五里，过狮子山与大路合，遂由岐路西入福严寺，殿已倾，僧佛鼎谋新之。宿明道山房。

二十七日 早闻雨，餐后行，少止。由寺西循天柱南一里，又西上二里，越南分之脊，转而北，循天柱西一里，上西来之脊，遂由脊上西南行，于是循华盖之东矣。一里，转华盖南，西行三里，循华盖西而北下。风雨大至，自是持盖行。北过一小坪，复过上岭，共一里，转而西行岭脊上。连度三脊，或循岭北，或循岭南，共三里而复过上岭。于是直上二里，是为观音峰矣。由峰北树中行三里，雨始止，而沉霾殊甚。又西南下一里，得观音庵，始知路不迷。又下一里，为罗汉台。有路自北坞至者，即南沟来道。于是复南上二里，连度二脊，丛木亦尽，峰皆茅矣。既逾高顶，南下一里，得丛木一丘，是为云雾堂。中有老僧，号东窗，年九十八，犹能与客同拜起。时雾稍开，又南下一里半，得东来大路，遂转西下，又一里半至涧，渡桥而西，即方广寺。寺正殿崇祯初被灾，三佛俱雨中。盖大岭之南，石廪峰分支西下，为莲花诸峰；大岭之北，云雾顶分支西下，为泉室、天台诸峰。夹而成坞，寺在其中，寺始于梁天监中。水口西去，环锁甚隘，亦胜地也。宋晦庵、南轩诸迹，俱没于火。寺西有洗衲池，补衣石在涧旁。渡水口桥，即北上山，西北登一里半，又平行一里半，得天台寺。寺有僧全撰，名僧也。适他出，其徒中立以芽茶馈。盖泉室峰又西起高顶，突为天台峰。西垂一支，环转而南，若大尾之掉，几东接其南下之支。南面水仅成峡，内环一坞如玦，在高原之上，与方广可称上下二奇。返宿方广庆禅、宁禅房。

先是，余欲由南沟趋罗汉台至方广；比登古龙池，乃东上侧刀峰，误出天柱东；及宿福严，适佛鼎师通道取木，遂复辟罗汉台路。余乃得循之西行，且自天柱、华盖、观音、云雾至大坳，皆衡山来脉之脊，得一览无遗，实意中之事也。由南沟趋罗台亦迂，不若径登天台，然后南岳之胜乃尽。

二十八日　早起，风雨不收。宁禅、庆禅二僧固留，余强别之。庆禅送至补衲台而别。遂沿涧西行，南北两界，山俱茅秃。五里，始有石树萦溪，崖影溪声，上下交映。又二里，隔溪前山，有峡自东南来，与方广水合流西去。北向登崖，崖下石树愈密，涧在深壑，其中有黑、白、黄三龙潭，两崖峭削，故路折而上，闻声而已，不能见也。已而平行山半，共三里，过鹅公嘴，得龙潭寺。寺在天台西峰之下，南为双髻峰。盖天台、双髻夹而西来，以成龙潭之流；潭北上即为寺，寺西为狮子峰，尖削特立，天台以西之峰，至此而尽；其南隔溪即双髻西峰，而莲花以西之峰，亦至此而尽；过九龙，犹平行山半，五里，自狮子峰南绕其西，下山又五里，为马迹桥，而衡山西面之山始尽。桥东去龙潭十里，西去湘乡界四十里，西北去白高三十里，南至衡阳界孟公坳五里。自马迹桥南渡一涧，涧即方广九龙水去白高者。即东南行，四里至田心。又越一小桥，一里，上一低坳，不知其为界头也。过坳又五里，有水自东北山间悬崖而下，其高数十仞，是为小响水塘，盖亦衡山之余波也。又二里，有水自北山悬崖而下，是为大响水塘。阔大过前崖，而水分两级，转下峡间，初见上级，后见下级，故觉其不及前崖飞流直下也。前即宁水桥，问水从何处，始知其南由唐夫沙河而下衡州草桥。盖自马迹南五里孟公坳分衡阳、衡山界处，其水北下者，即由白高下一殒江，南下者，即由沙河下草桥，是孟公坳不特两县分界，而实衡山西来过脉也。第其坳甚平，其西来山即不甚高，故不之觉耳。始悟衡山来脉非自南来，乃由此坳东峙双髻，又东为莲花峰后山，又东起为石

廪峰，始分南北二支，南为岣嵝、白石诸峰，北为云雾、观音以峙天柱。使不由西路，必谓岣嵝、白石乃其来脉矣。

由宁水桥饭而南，五里，过国清亭，逾一小岭，为穆家洞。其洞回环圆整，水自东南绕至东北，乃石廪峰西南峡中水；山亦如之，而东附于衡山之西。径洞二里，复南逾一岭，一里，是为陶朱下洞，其洞甚狭，水直西去。路又南入峡，二里，复逾一岭，为陶朱中洞，其水亦西去。又南二里，上一岭，其坳甚隘，为陶朱三洞，其洞较宽于前二洞，而不及穆洞之回环也。二里，又逾一岭，为界江，其水由东南向西北去。界江之西为大海岭。溯水南行一里，上一坳，亦甚平，乃衡之脉，又西度为大海岭者。其坳北之水，即西北下唐夫；其坳南之水，即东南下横口者也。逾坳共一里，为傍塘，即随水东南行。五里，为黑山，又五里，水口，

两山逼凑，水由其外破壁而入，路逾其上。一里，水始出峡，路亦就夷。又一里，是为横口。傍塘、黑山之水南下，岣嵝之水西南来，至此而合。其地北望岣嵝、白石诸峰甚近，南去衡州尚五十里，遂止宿旅店。是日共行六十里。

【今译】

二十一日。四更天，月光很明亮，船夫就催促下船。走二十里，到雷家埠，出了湘江，才听到鸡叫。顺流向东北走了十五里，到达衡山县。江水流过县东城下。从南门进城，经过县衙前，从西门出城。走了三里，翻过桐木岭，路边开始有大松树。再走二里，是石陂桥，至此两旁尽是松树。再往前走五里，过九龙泉，有块大石叫“头巾石”。再走了五里，到师姑桥，山势开始变得开阔，远远看见祝融峰峙立在北边。路两旁的松树，到师姑桥就没有了。桥下的水则向东南流去。再走五里进山，又看到松树。再走五里，路北面有棵“子抱母松”。大的有两个抱着，小的分成两股。再走二里，越过佛子坳。又走了二里，上了俯头岭，再走一里，就到了南岳下的街市。到了司马桥，进入南岳庙拜谒，出来后在庙前用饭。打听到水帘洞在山的东北角，上山的路不经过那里；这时才下午，还来得及登上山顶，天上层云密布但还不阴沉，不知明日天气如何。犹豫了好久，想到既然上了山，哪能再折转回去，于是往东出了街市，从路亭北面靠着山转向岔路。开始路很宽大，是湘潭进山的路。往东北走了三里，有条小溪从岳东的高峰上流下来，碰见打柴的把我引进小路。走了三里，上到山峡，看到水帘挂在石崖底下。走二里，到那里一看，原来是瀑布倾泻在崖间，可以叫做“水帘”，但不能说是“洞”啊。崖北的石头上大笔写着“朱陵大沥洞天”“水帘洞”“高山流水”等字，都是宋、元人写的，已经分辨不出落款了。给我引路的砍柴人又说，东面有个九真洞，也是从山峡中间倾泻出来的瀑布。下山后又往东北走了二里，登上山顺着山峡走，越过一道山隘，峰回水转，引路人以为就是九真洞了。来了一个烧荒的人，说：“这是寿宁宫的旧址，是九真的下流。所说的洞，就是山环绕成坞，和这里并没什么差别，洞就在紫盖峰下面。翻过山往北走，还有洞，也是山坞，那里已快到湘潭县境。”我看天快黑了，就出了山，走了十里，离僧寮不远，于是在庙里歇息。

二十二日。奋力登山。从岳庙向西过了将军桥，岳庙东西两边都是涧水。往北进山走了一里，是紫云洞，也没有洞，只是山前的一道山冈当作门户围着而已。从这里上岭走一里，从大石后越过一道山脊，走一里多，路南有个铁佛寺。由寺后登石级走了一里，路两旁都是蒙茸的细竹子。上了岭，有个丹霞寺。再从寺旁往北上去，从络丝潭往北翻下一道山岭，又沿着络丝潭上流的涧水走了一里，就是“宝善堂”。这里涧水从东西两边山壑里流下来，堂前有块大石好像刀劈似的，两涧环绕着大石流下，流经玉板桥，后与东涧水汇合向南流去。宝善堂在两条涧水之间，距离岳庙已有五里。从堂后又走上一里，顺着西涧来到岭东，平路走了二里，到达半云庵。从庵后渡过涧水往西，踩着石级直上二里，上了一座山峰，到茶庵。再直上三里，翻过一座山峰，到半山庵，道路非常险峻。从半山庵丹霞寺旁边往北上，竹树交映，青翠欲滴。竹丛中还可听见淙淙的泉水声。自从在半云庵过了涧水之后，再没有看见水，以为是山高所以没有水，到这里听到水声特别高兴。这时因想上山顶，路过几个寺庙都没有进去。从丹霞寺上了三里，到湘南寺，又走了二里，到南天门。又向东平路走了二里，出现分岔路。往南走一里是飞来船和讲经台。转到原路上，又往东走下半里，往北翻过山脊，往西北走上三里，来到上封寺。上封寺的东边有虎跑泉，西边有卓锡泉。

二十三日。住在上封寺。

二十四日。住在上封寺。

二十五日。住在上封寺。

二十六日。晴。到观音崖，再上祝融峰的会仙桥，从不语崖往西走下来。走了八里，又有分岔路。南茅坪。往北走二里，到九龙坪，仍然转到路口。往南走一里，到茅坪。从半山腰往东南走，走了四里，渡过乱涧，到大坪路分开。从东南可上南天门。从西南的小路直上四里，是老龙池，岭坳里有一池水，不很清澈，这里和尚住的净室多数在岭外。往西南在侧刀峰之西、雷祖峰的东面转路。往东走二里，上了侧刀峰，在峰顶平走了二里，下了山顶，翻过一道很窄的山脊。来到赤帝峰的北面，走了一里，绕过它的东边，路又分岔了。向南在山坳中往东，走了一里，转到天柱峰东面，再往南下去。走了五里，过狮子山与大路汇合，从岔路往西进入福严寺，大殿已经倾斜，佛鼎和尚计划重新修建。住在明道和尚的山房里。

二十七日。早上下雨，饭后出发不久就停了。从寺的西边沿天柱峰往南走了一里，又由西向上走了二里，越过向南分出的山脊，转向北，沿着天柱峰往西走一里，登上了从西面延伸过来的山脊，就从山脊上往西南走，这就转到华盖峰的东面了。走一里，转到华盖峰的南面，再往西走三里，沿着华盖峰的西面往北下去。这时狂风暴雨骤至，我打着雨伞前行。向北过了一个小坪，又翻过上岭，共走了一里路。转往西边走到岭脊上。接连过了三道岭脊，有时沿着岭北走，有时沿着岭南走，共走了三里，又上了岭。于是又直走上二里，到了观音峰。在峰北的树林中走了三里，雨才停下来，不过还是阴云密布。又往西南下行一里，来到观音庵，这才知道没有迷路。再下行一里，是罗汉台。有条路从北面的山坞通到这里，是从南沟来的路。于是又往南走上二里，接连越过两道岭脊，不见树木，峰上长满了茅草。越过高顶，往南走下一里，看到一个长满树木的小丘，是云雾堂。堂里有个老和尚，法号东窗，已九十八岁了，还能和客人一起礼拜佛像。这时雾稍稍散开，又南下走了一里半，一条大路延伸而来，于是转向西边下去，再走了一里半路。到涧边，过桥向西走，就是方广寺。方广寺的正殿崇祯初年被毁，三尊佛像都淋在雨中。大体说来，大岭的南面，石廪峰分支西下，为莲花等峰；大岭的北面，云雾顶分支西下，为泉室、天台等峰。众峰夹立而成山坞，方广寺就在山坞之中，寺初建于梁天监年间。从水口往西，山势合拢极为险隘，也是一处游览胜地。南宋朱晦庵、张南轩的遗迹，都毁于火中。方广寺西面有个洗衲池，还有个补衣石在涧边。渡过水口桥，从北面上山，向西北攀登一里半，又平路走一里半，到天台寺。寺里有个全撰和尚，是位有为的高僧。正好这时他出去了，他的徒弟，一个叫中立的和尚用嫩茶招待我。泉室峰又向西隆起一个高顶，突起为天台峰，又向西垂下一峰，环转延伸到南面，好似一条大尾巴转动着，东边几乎和那南下的山脉相连。南边的水仅能成为一道山峡，里面环成山坞如同玉玦。在高原的上面，可和方广寺并称为上下两处奇迹。返回，住在方广寺的庆禅和宁禅两位和尚的房舍里。

先前，我想从南沟去罗汉台再到方广寺；等到登上古龙池，就往东登上侧刀峰，后走错路来到天柱峰的东面；到福严寺住宿时，正好佛鼎和尚搬运木料打通道路，于是又开辟了一条到达罗汉台的通道。我才能沿着这条路往西走，而且从天柱峰、华盖峰、观音峰、云雾峰到大坳，都是衡山山脉的山脊，能够一览无余，也实在是意料之中的事情。从南沟去罗汉台又绕远了，不如直接登上天台峰，这样南岳的胜景才能尽收眼底。

二十八日。早上起来，风雨不止。宁禅、庆禅两位和尚坚持挽留，我硬是辞谢了。庆禅一直把我送到补衲台才分手。我就沿着山涧往西走，南北两边的山上都只有茅草，光秃秃的。走了五里，才看到石头和树木环绕着溪水，山崖倒影、溪流水声，上下交映。又走了二里，溪水对面的山上，有道峡水从东南流过来，和方广寺的流水汇合后向西流去。往北登上山崖，崖下岩石上的树愈来愈密，涧水在深壑之中，有黑、白、黄三个龙潭，两边的山崖十分陡峭，所以山路曲折而上，只能听到水声，无法看到三个龙潭。过一会儿，在山的半腰平路前进，走了三里，经过鹅公嘴，来到龙潭寺。龙潭寺在天台西峰的下面，南边是双髻峰。大体说来，天台峰和双髻峰夹峙着从西边过来，形成龙潭的流水；龙潭北上方就是龙潭寺，寺的西边是狮子峰，尖削挺立，天台以西的山峰，到这里就没有了；它的南边隔着一条溪流的就是双髻西峰，而莲花以西的山峰，到这里也没有了；过了九龙峰，在半山腰平路前进，又走了五里，从狮子岭的南边绕到它的西边，下山又走五里，到马迹桥，衡山西面的山也没有了。从马迹桥向东到龙潭有十里，向西到湘乡县界

有四十里，往西北到白高有三十里，往南到衡南县的孟公坳有五里。从马迹桥往南渡过一条涧，这涧就是方广峰和九龙峰流向白高的那条溪水。往东南走，走了四里到田心。再过小桥，走了一里，来到一个低低的山坳，我不知道这就是界头。过了山坳又走五里，有水从东北山间的悬崖上流下来，有几十仞高，是“小响水塘”，也是衡山的余波。再走二里，有水从北山悬崖上下来，是“大响水塘”。水流之宽之大超过前面山崖上的水，只是水分成两级，一级一级地流入峡间，先看见上面一级，然后看到下面一级，所以就觉得不如前边悬崖上的水飞流直下、气势磅礴了。前面是宁水桥，向人询问此水从何而来，才知道它南面来自唐夫沙河，往下流到衡州草桥。在马迹桥南面五里的孟公坳——衡阳、衡山两县分界处，北下的水从白高注入一殰江，南下的水从沙河流到草桥，所以孟公坳不仅是两县的分界，也是衡山向西延伸过来的山脉，只是山坳很平，西边延伸过来的山也不是很高，所以看不出了。这才明白衡山的源头，不是从南边过来，而是在这个坳的东边突起一个双髻峰，再往东是莲花峰后山，又往东突起一个石廪峰，然后分成南北二支，南边是岣嵝、白石等峰，北面云雾峰、观音峰与天柱峰对峙。假如不从西路走来，一定误认为岣嵝、白石等山是衡山的源头了。

在宁水桥吃饭后往南走了五里，过国清寺，越过一座小岭，到穆家洞。这个洞回环圆整，水从东南绕到东北，是石廪峰西南峡里的水；山峰也是这样，东边倚靠着衡山的西边。穿过洞走了二里，再往南越过一道岭，走了一里，就是陶朱下洞，这个洞很狭窄，水一直向西流去。道路又向南进入山峡，走了二里，又翻过一道岭，到了陶朱中洞，洞里的水也向西流去。又向南走了二里，登上一道山岭，山坳很狭窄，是陶朱三洞，此洞比前面两个稍宽一些，但不如穆家洞回环曲折。再走二里，又翻过一道山岭，就是界江，其水由东南向西北流去。界江的西面是大海岭。逆着水向南走了一里，走上一个很平整的山坳，也属于衡山山脉，又往西延伸成为大海岭。山坳北边的水，向西北流到唐夫；山坳南边的水，向东南流向横口。越过山坳一里，来到傍塘，就沿着水往东南走。走了五里，到黑山，再走五里，到水口，两座山紧挨着，水由山外破壁而入，上面有路可通过。一里之后，水才流出峡谷，路也变得平坦了。再走一里，是横口。傍塘、黑山的水往南流去，岣嵝的水从西南流来，在这里汇合。从这里向北看，岣嵝、白石等峰很近，往南去衡州还有五十里，于是停下来在旅店住宿。这天共走了六十里。

游七星岩日记

【解题】

七星岩又称栖霞洞、碧虚岩，位于广西桂林市东普陀山西侧山腰，原是一段地下河。岩洞雄伟深邃，游程达 800 余米。洞内怪石众多，奇幻多姿。岩洞开发较早，从隋唐起成为游览胜地，洞内留有历代诗文题刻一百余件。至今仍是桂林的著名风景点。

徐霞客在明崇祯十年（丁丑）四月至九月游历粤西（今广西壮族自治区）各地，游历线路繁多，对广西奇特的地形、地貌做了详细考察，《游记》中的《粤西游日记》记载的就是这次游程。《游七星岩日记》是《粤西游日记》中的关于游历桂林七星岩的一段，时间为明崇祯十年五月初二（1637 年 6 月 23 日）。

【原文】

初二日　晨餐后，与静闻、顾仆裹蔬粮，携卧具，东出浮桥门。渡浮桥，又东渡花桥，从桥东即北转循山。花桥东涯有小石突临桥端，修溪缀村，东往殊逗人心目。山峙花桥东北，其嵯峨之势，反不若东南夹道之峰，而七星岩即峙焉，其去浮桥共里余耳。岩西向，其下有寿佛寺，即从寺左登山。先有亭翼然迎客，名曰摘星，则曹能始所构而书之。其上有崖横骞，仅可置足，然俯瞰城堞西山，则甚畅也。其左即为佛庐，当岩之口，入其内不知其为岩也。询寺僧岩所何在，僧推后扉导余入。历级而上约三丈，洞口为庐掩，黑暗，忽转而西北，豁然中开，上穹下平，中多列笋悬柱，爽朗通漏，此上洞也，是为七星岩。从其右历级下，又入下洞，是为栖霞洞。其洞宏朗雄拓，门亦西北向，仰眺崇赫。洞顶横裂一隙，有石鲤鱼从隙悬跃下向，首尾鳞腮，使琢石为之，不能酷肖乃尔。其旁盘结蟠盖，五色灿烂。西北层台高叠，缘级而上，是为老君台。由台北向，洞若两界，西行高台之上，东循深壑之中。由台上行，入一门，直北至黑暗处，上穹无际，下陷成潭，澒洞峭裂，忽变夷为险。时余先觅导者，燃松明于洞底以入洞，不由台上，故不及从，而不知其处之亦不可明也。乃下台，仍至洞底。导者携灯前趋，循台东壑中行，始见台壁攒裂绣错，备诸灵幻，更记身之自上来也。直北入一天门，石楹垂立，仅度单人。既入，则复穹然高远，其左有石栏横列，下陷深黑，杳不见底，是为獭子潭。导者言其渊深通海，未必然也。盖即老君台北向下坠处，至此则高深易位，丛辟交关，又成一境矣。其内又连进两天门，路渐转而东北，内有“花瓶插竹”“撒网”“弈棋”“八仙”“馒头”诸石，两旁善财童子，中有观音诸像。导者行急，强留谛视，顾此失彼。然余所欲观者，不在此也。又逾崖而上，其右有潭，渊黑一如獭子潭，而宏广更过之，是名龙江，其盖与獭子相通焉。又北行东转，过红毡、白毡，委裘垂毯，纹缕若织。又东过凤凰戏水，始穿一门，阴风飕飗，卷灯冽肌，盖风自洞外入，至此则逼聚而势愈大也。叠彩风洞亦然。然叠彩昔无风洞之名，而今人称之；此中昔有风洞，今无知者。出此，忽见白光一圆，内映深壑，空濛若天之欲曙。遂东出后洞，有水自洞北环流，南入洞中，想下为龙江者，小石梁跨其上，则宋相曾公布所为也。度桥，拂洞口右崖，则曾公之记在焉。始知是洞昔名冷水岩，曾公帅桂，搜奇置桥，始易名曾公岩，与栖霞盖一洞潜通，两门各擅耳。

余伫立桥上，见涧中有浣而汲者，余询："此水从东北来，可溯之以入否？"其人言："由水穴之上可深入数里，其中名胜，较之外洞，路倍而奇亦倍之。若水穴则深浅莫测，惟冬月可涉，此非其时也。"余即觅其人为导。其人乃归取松明，余随之出洞而右，得庆林观焉。以所负橐裹寄之，且托其炊黄粱以待。

遂同导者入，仍由隘口东门，过凤凰戏水，抵红、白二毡，始由岐北向行。其中有弄球之狮、卷鼻之象、长颈盎背之骆驼；有土冢之祭，则猪鬣鹅掌罗列于前；有罗汉之燕，则金盏银台排列于下。其高处有山神，长尺许，飞坐悬崖；其深处有佛像，仅七寸，端居半壁菩萨之侧。禅榻一龛，正可趺跏而坐；观音座之前，法藏一轮，若欲圆转而行。

深处复有渊黑，当桥涧上流。至此导者亦不敢入，曰："挑灯引炬，即数日不能竟，但此从无入者，况当水涨之后，其可尝不测乎？"乃返，循红白二毡、凤凰戏水而出。计前自栖霞达曾公岩，约径过者共二里，复自曾公岩入而出，约盘旋者共三里，然二洞之胜，几一网无遗矣。

【今译】

初二日。早饭后，我和静闻和尚、顾姓仆人准备了蔬菜、粮食，携带了卧具，向东出了浮桥门。走过浮桥，又向东过了花桥，然后从桥东向北沿着山势走。花桥的东岸有一座小石峰突出，对着桥头，长长的小溪流经村庄，再向东，景色更是引人注目。有山矗立在花桥的东北，但它那高耸巍峨的气势，却不如东南面大道两边耸立的山峰，七星岩就矗立在那里，它离浮桥的路程共一里多远。岩洞西向，洞下有寿佛寺，于是我们沿寿佛寺的左面攀登。首先看到一座亭子腾空而出，像张开臂膀欢迎客人一样，叫"摘星亭"，曹能始建造并给亭子题名。亭子的上方有一石崖横空而上，大小仅能容下双脚，但在这里俯视城池西山，十分开阔。亭子的左面是佛寺，正当岩洞的入口，进入佛寺时不知道这就是岩洞了。向寺里的僧人询问七星岩在哪里，僧人从后门带我们进去。沿着台阶向上大约走了三丈，房屋遮住了洞口，十分黑暗，接着转向西北，洞内突然变得十分开阔，洞顶中部凸起，洞内十分平坦，有许多石笋和悬垂的石钟乳在洞内罗列，洞内通风透亮，十分清爽明朗，这就是上洞，也就是"七星岩"。然后顺着洞的右侧沿台阶向下走，便进入下洞，也叫"栖霞洞"。此洞高大、雄伟、宽广，洞口也朝向西北，抬头向上观望，高大巍峨、十分显赫。洞顶横着裂开一道石缝，一条石鲤鱼从当中悬跃欲下，鱼头、鱼尾、鱼鳞、鱼鳃俱全，即使人工精雕细刻，也不会像这样栩栩如生。有许多蟠龙状的伞盖盘结在它的旁边，五彩缤纷，十分好看。西北面有平台层层叠起。顺着石阶向上去，就是老君台了。从台上向北走，岩洞好像被分成了两个不同的世界。向西顺着高台延伸上去，向东沿着深壑延伸下去。由高台往上走，进入一个石门，一直向北，来到黑暗的地方，洞顶穹隆，不着边际，洞底下陷形成深潭，陡峭并且深幽，山洞忽然由平坦变得十分险峻。我事先找了一

位向导，在洞底点燃松明准备进洞时用，可向导没有从高台上走，因此我没来得及跟上他，但我不知道这里即使用松明也是不能照亮的。于是从高台上下来，又回到洞底。向导拿着灯在前面引路，顺着高台东面在壑谷中行进，才看到高台的台壁上，布满了像锦绣的花纹样的裂缝，互相交错，灵妙变幻，使人觉得像是从上面过来的。一直向北，走入一道天然的石门，石柱林立，仅能容一个人通过。进入洞后，洞内更加宽广穹隆、高大深远，洞的左边有石栏横列，下面有獭子潭，十分深幽，深不见底。向导告诉我们说此处很深，与大海相通，我想他说的未必对。可能这就是老君台北向下坠之处，这里忽深忽浅，繁空交错，又是一道独特的风景。洞内又连过两道天然的石门，道路逐渐向东北转

去，洞内有“花瓶插竹”“撒网”“弈棋”“八仙”“馒头”诸岩石，两旁有善财童子，中间有观音菩萨等神像。向导走得很快，我勉强停留观看，却顾此失彼。但我想要看的东西，并不在这里。之后，越过石岸向上走，右边有一深潭，潭深漆黑，和獭子潭没什么两样，但比獭子潭广阔，这里叫“龙江”，可能和獭子潭相通。然后向北再转向东面，一路经过红毡、白毡，好像悬挂的裘皮、下垂的毛毯，石壁上的皱纹也好像是织出来的。又往东走经过凤凰戏水，接着又穿过一道门洞，阴风飕飕，吹得灯火晃晃忽忽，冷风刺透肌肤，可能是因为风从洞外吹入，经过此处狭窄的地方风势突然变大的缘故。叠彩山的风洞也是如此。但叠彩山以前并没有风洞的称呼，是现在的人这样叫的；这个洞的里面也曾有过风洞的称呼，可今天没有人能知道了。走出这里，突然看到一道圆圆的白光，照射到洞中的深邃处，缥缈迷茫，好像天空中将要露出的曙光。向东从后洞出来，有水流在洞的北面环绕，向南流入洞中，流下去的地方可能是龙江，水流的上面横跨着一座小石桥，是宋朝丞相曾公布修建的。走过石桥，在紧挨洞口右侧的石壁上，看到曾公在石壁上写的题记，才得知此洞以前叫“冷水岩”，当时曾公治理桂林，寻找奇景时建造了这座桥，所以才改名叫“曾公岩”。它和栖霞洞可能是同一个山洞，彼此潜流相通，只是两洞各有特色罢了。

我站立在桥头，看到有人在山洞中洗衣汲水，便上前询问：“这涧水从东北方流过来，是否能够溯流到洞内去呢？”那个人说：“从水洞的上面能够走几里地，洞中奇异的景色和洞外的相比，路程较远，并且奇异的景观更多。但水洞深浅莫测，只有冬季的几个月才能涉水进入，现在去不合适。”我立刻请那人做我的向导。那人回家取来松明，我跟着他从洞里出来向右走，来到庆林观。我把包裹寄放在观内，并请观中的人做好饭等我回来。

然后随着向导进入洞内，还是从隘口东边的石门走，一路经过凤凰戏水，到达红毡、白毡，才由岔道向北走去。一路上有舞球的狮子、卷鼻的大象、长颈凸背的骆驼；有土坟丘前面的祭坛，坛上摆放了猪鬃、鹅掌；有罗汉的饮宴，下面摆放着金杯银座。较高的地方还有山神像，高一尺左右，飞坐在悬崖之上；深处还有佛像，只有七寸高，在菩萨的侧面端坐着。一个石龛当中有个禅床，正好可以盘腿合掌坐下；观音法座的前方，有个像要转动的法轮。再朝里走又有漆黑的深渊，位于那道有桥的山涧的上游。到了此处向导也不敢往里走，说："在里面拿着灯笼火把走，几天也走不到尽头，此处还没有人进去过，何况现在又是涨水的时候，怎么能去冒险呢？"因此只得往回走，沿着白毡、红毡、凤凰戏水等处走出洞口。估计此前从栖霞洞到曾公岩，大约直走了二里路，后来由曾公岩进入又出来，来回往返的路程大约有三里，两个山洞之间的优美奇异的景色大都游览过了。

游象鼻山日记

【解题】

象鼻山位于广西桂林市内阳江和漓江汇流处，因山岩悬空伸入江水，如同大象的鼻子伸入江中吸水而得名。西麓有登山盘道，山顶有普贤塔，山下有水月洞，即由象鼻与象身形成的圆洞，江水贯流，可过小艇。是桂林的著名风景点。

徐霞客于明崇祯十年（丁丑）四月至九月的粤西游程中，在桂林有象鼻山之游，本篇选自《粤西游日记》的相关部分，时间为崇祯十年五月初九（1637 年 6 月 30 日）。

【原文】

初九日　余少憩寓中。上午，南自大街一里，过樵楼，市扇欲书《登秀诗》赠绀谷、灵室二僧，扇无佳者。乃从县后街西入宗室廉泉园。廉泉丰仪修整，礼度谦厚，令童导游内园甚遍。园在居右，后临大塘，远山近水，映带颇盛，果树峰石，杂植其中，而亭榭则雕镂缋饰，板而无纹也。停憩久之。东南一里，过五岳观。又一里，出文昌门，乃东南门也，南溪山正对其前。转若一指，直上南过石梁，梁下即阳江北分派。即东转而行，半里，过桂林会馆，又半里，抵石山南麓，则三教庵在焉。庵后为右军崖，即方信孺结轩处。方诗刻庵后石崖上，犹完好可拓。其山亦为漓山，今人呼为象鼻山，与雉山之漓，或彼或此，未知袒当谁左。山东南隅亦有洞，南向，即在庵旁而置栅锁，因土人藏蒌其中也。洞不甚宽广，昔直透东北隅，今其后窍已叠石掩塞。循石崖东北，遂抵漓江。

乃盘山溯行，从石崖危嵌中又得一洞，北向，名南极洞。其中不甚深。出其中前，直盘至西北隅，是为象鼻岩，而水月洞现焉。盖一山而皆以形象异名也。飞崖自山顶飞跨，北插中流，东西俱高剜成门，阳江从城南来，流贯而合于漓。上既空明如月，下复内外潆波，“水月”之称以此。而插江之涯，下跨于水，上属于山，中垂外掀，有卷鼻之势，“象鼻”之称又以此。水洞之南，崖半又辟陆洞。其崖亦自山顶东跨江畔，中剜圆窍，长若行廊，直透水洞之上，北踞窍口，下瞰水洞，东西交穿互映之景，真为胜绝。宋范石湖作铭勒窍壁以存。字大小不一，半已湮沕，此断文蚀柬，真可与范铭同珍，当觅工拓之，不可失也。时有渔舟泊洞口崖石间，因令棹余绕出洞外，复穿入洞中，兼尽水陆之观。

乃南行一里，渡漓江东岸，又二里抵穿山下。其山西与斗鸡山相对。斗鸡在刘仙岩南，崖头山北，漓江西岸濒江之山也。东西夹漓，怒冠鼓距，两山当合名“斗鸡”，特东山透明如圆镜，故更以穿山名之。山之西又有一峰危立，初望之为一，抵其下，始见竖石下剖，直抵山之根，若岐若合，亭亭夹立。盖山以脆薄飞扬见奇也，土人名为荷叶山，殊得之也。穿山北麓，嘉熙拖剑之水直漱崖根，循山而南，遂与漓合。余始至其北，隔溪不得渡。望崖壁危悬，洞门或明或暗，纷纷错列，即渡亦不得上。乃随溪南行，隔水东眺，则穿岩已转，不睹空明，而山侧成峰，尖若竖指矣。又以小舟东渡，出穿山南麓，北面而登。拨草寻磴，登一岩，高而倚山半，其门南向，疑即穿岩矣。而其内乳柱中悬，琼楞层叠，殊有曲折之致。由其左深入，则渐洼而黑，水汇于中。知非穿岩，乃出。由其右复攀跻而上，则崇岩旷然，平透山腹，径山十余丈，高阔俱五六丈，上若卷桥，下如甬道，中无悬列之石，故一望通明。洞北崖右有镌为“空明”者。由其外攀崖东转，又开一洞，北向与穿岩并列，而后不中通，内分层窦，若以穿岩为皇堂，则此为奥室矣。其东尚有三洞门，下可望见，至此则峭削绝径。穿岩之南，其上复悬一洞，南向与穿岩叠起，而后不北透，内列重帏，若以穿岩为平台，则此为架阁矣。凭眺久之，仍由旧路东下汇水岩。将南抵山麓，复见一洞，门亦南向，而列于汇水之东。其内亦有支窍，西入而隘黑无奇。时将薄暮，遂仍西渡荷叶山下。北二里，过河舶所，溯漓江东岸，又东北行三里，北过訾家洲，渡浮桥而返寓。

【今译】

初九日。我在寓所里休息了一会。上午，往南沿着大街走一里，过了樵楼，想买扇子题上《登秀诗》送给绀谷、灵宝两位僧人，可是没见着好的扇子。然后从临桂县衙的后街西边来到王族廉泉的花园。廉泉仪表堂堂，端庄华丽，待人谦逊，命书童给我领路游览整个内园。花园在居所的右面，后临大水塘，远山近水相互衬托，看上去十分美丽，果树和石峰，杂乱地培植在园中，亭台楼榭也都经过雕镂装饰，由整块材料修建，看不出拼接的痕迹。休息了一阵。向东南走了一里，过五岳观。又走了一里，从文昌门出来，也就是东南城门，南溪山正和城门相对。转过约有指把宽的地方，向南行去，过了石桥，桥下就是阳江在北面分出的支流。立刻转向东走半里地，经过桂林会馆，又走了半里，到了石山的南麓，三教庵就在这里。庵的后面是右军崖，是方信孺建书斋的地方。方信孺的诗就刻在庵后的石崖上，保存得很好，还可以摹拓。这座山也是漓山，现在的人叫它“象鼻山”，和雉山的漓山遥相呼应，一座在那一座在这，不知应该偏向哪一方。山的东南隅也有洞，朝南，就在庵的旁边，设了栅栏加了锁，因为当地人在洞内存放蒌蒿。洞内不太宽阔，从前是通向东北隅的，现在后洞已被砌上石头堵了起来。顺着山崖向东北方走，便到达漓江了。

于是绕着山溯江而行，在高高插入江中的石崖上又看到一个洞，洞口向北，名叫“南极洞”。洞内不太深。出了洞，一直绕到西北隅，就是象鼻岩，能看到水月洞了。这座山由于模样像象而有过不同的名字。凌空飞跨的山崖自山顶插入江水，东西两面都高高地剜成石门，阳江从城南流来，穿过石门与漓江汇合。石门上边中空明亮有如月亮，下边又有内外潆洄形成的水波，“水月”的名称由此而来。而插入江中的石崖，下部跨在水中，上部与山相连，中部下垂，外侧突起，有如卷起的象鼻，“象鼻”的名称由此而来。水洞的南面，在石崖的半山腰又有一个陆洞。那石崖也由山顶向东跨到江畔，中间剜成圆洞，长如走廊，直达水洞的上面，坐在洞口向北，向下俯瞰水洞，东西交互相衬的景色，真是绝妙啊！宋代范石湖在洞壁上刻的铭文得以保存于世。洞壁上的刻字大小不一，一半已经消失脱裂，这些断缺蚀坏的铭文刻石，与范石湖的铭文同样珍贵，应该找一位工匠摹拓下来，不能就这么消失了。此时有只渔船停泊在洞口岩石间，就叫他载我绕出洞外，又穿入洞内，水陆景色尽收眼底。

向南划行了一里，渡到漓江东岸，又走二里到达穿山的下面，此山和西面的斗鸡山相对。斗鸡山在刘仙岩的南侧，崖头山的北侧，濒临漓江西岸。两座山从东西两面夹住漓江，像争斗的公鸡一样，鸡冠怒立，两座山可合起来叫“斗鸡山”，但东面的山，中空透亮如圆镜一般，所以用“穿山”命名。山的西边耸立着一座山峰，乍一看好像是一座山，到达山下，才发现竖起的石峰向下劈开，直达山峰的底部，若即若离，高高地对峙矗立着。此山以脆薄飞扬称奇，所以本地人叫它“荷叶山”，很恰当。穿山的北麓，从嘉熙桥流来的拖剑之水直接冲刷着山崖的底部，顺着山势向南流，与漓江合流。我刚到江北，隔着溪流不能渡过。望见崖壁高悬，洞口或明或暗，纷错杂列，即使渡水过去也无法上去。于是沿着溪流往南行，隔着江水向东眺望，由于已过穿山，所以它“透明如圆镜”的特征看不见了，而山的侧面如山峰，尖尖的像竖起的手指。又乘小船渡到东岸，来到穿山南麓，由北向上攀登。在草丛中找到石阶，登上一个岩洞，它高高地斜靠在半山腰，洞口朝南，可能就是穿岩了。然而洞内钟乳石柱悬垂在当中，琼玉般的石棱层层叠叠，颇有点曲曲折折的情致。由洞壁的左侧深入进去，地势逐渐洼陷并暗下来，水也积聚在里面。知道这并不是穿岩，就出来了。从洞右侧再次攀登，只见岩洞高大，十分宽阔，穿透山腹，有十多丈，高和宽也都达五六丈，上方好似拱桥，下边如甬道一般，中间也没有挂列下垂的钟乳，因此一眼望去通明透亮。洞北边的右侧石壁上刻有“空明”二字。从洞外登上山崖向东转，又有一洞，向北与穿岩并列，但后面不通达，洞里又分层层洞穴，如果把穿岩比作庄严的殿堂，那此洞就是幽深的内室。它东边还有三个洞口，从下面就可望见，到这里变得峻岭陡峭，没有路了。穿岩的南面，洞顶上又悬着一个洞，南面与穿岩上下重叠，但后面不透北方，洞内岩石罗列如重重帷帐，如果把穿岩比作平台，那此洞就是凌空的楼阁了。我在此眺望了很久，仍从原路向东下到汇水岩。往南快要到达山麓时，又看到一个洞，洞口也朝南，位于汇水岩的东面。洞内还有岔洞，往西进去又窄又黑，并没有特别的地方。这时天色渐晚，我于是向西渡到荷叶山下。向北走了二里路，路过河舶所，溯漓江东岸，再往东北走了三里，向北经过訾家洲，渡过浮桥回到寓所。